Luna

ÉLODIE TIREL

Luna

LA CITÉ MAUDITE

Catalogage avant publication de Bibliothèque et Archives nationales du Québec et Bibliothèque et Archives Canada

Tirel, Élodie

Luna

Sommaire: 1. La cité maudite -- 2. La vengeance des elfes noirs -- 3. Le combat des dieux.

Pour les jeunes.

ISBN 978-2-89435-430-8 (v. 1)
ISBN 978-2-89435-431-5 (v. 1)
ISBN 978-2-89435-432-2 (v. 2)
ISBN 978-2-89435-433-9 (v. 3)

I. Titre. II. Titre: La cité maudite. III. Titre: La vengeance des elfes noirs. IV. Titre: Le combat des dieux.

PZ23.T546Lu 2009 j843'.92 C2009-940443-5

Illustrations de la page couverture : Boris Stoilov
Illustration de la carte : Élodie Tirel
Infographie : Marie-Ève Boisvert, Éd. Michel Quintin

La publication de cet ouvrage a été réalisée grâce au soutien financier du Conseil des Arts du Canada et de la SODEC.

De plus, les Éditions Michel Quintin bénéficient de l'aide financière du gouvernement du Canada par l'entremise du Programme d'aide au développement de l'industrie de l'édition (PADIÉ) pour leurs activités d'édition.

Gouvernement du Québec – Programme de crédit d'impôt pour l'édition de livres – Gestion SODEC

ISBN 978-2-89435-430-8
ISBN 978-2-89435-431-5
Dépôt légal - Bibliothèque et Archives nationales du Québec, 2009
Dépôt légal - Bibliothèque et Archives Canada, 2009

Éditions Michel Quintin
C.P. 340, Waterloo (Québec)
Canada J0E 2N0
Tél. : 450 539-3774
Téléc. : 450 539-4905
www.editionsmichelquintin.ca

0 9 - G A - 1

Imprimé au Canada

TERRES DU NORD
Cordillère de Glace
Bois de Brume
Marais de Mornuyn
Rhasgarrok
Forêt de Wiëryn
Plaine d'Ank' Rok
Montagnes Rousses
Dernière chance
Aman'Thyr
Contreforts des montagnes Rousses
Tours de Vigie
Anse-Grave
Laltharils
Belle-Côte
Forêt de Ravenstein

PROLOGUE

« Il doit faire chaud à la surface… », songea avec nostalgie Ambrethil, la jeune elfe argentée.

Dans les profondeurs maléfiques de la ville souterraine de Rhasgarrok, aucun souffle d'air frais ne parvenait jamais. Le printemps était déjà terminé et Ambrethil souffrait d'avoir été privée du parfum des sous-bois qui s'éveillent à la vie. Elle n'avait pas pu profiter du chant secret des bourgeons qui s'ouvrent, des effluves des fleurs sauvages baignées de rosée, des trilles joyeuses des oiseaux dans la lueur de l'aube.

Voilà des mois qu'elle n'avait pas aperçu un rayon de soleil ni le scintillement magique des étoiles. Même la lumière blafarde de la lune lui était interdite. À son grand désespoir, seules les bougies rythmaient désormais ses jours et ses nuits.

Ambrethil n'avait pas fait le choix de venir vivre à Rhasgarrok. Aucun elfe argenté sain d'esprit ne se risquerait à quitter les siens pour s'aventurer dans les profondeurs de la cité maudite des drows, ces elfes noirs exilés depuis la nuit des temps.

La jeune femme ferma les yeux pour retenir ses larmes. Son sort était scellé, mais loin d'être le pire. Combien de ses frères et sœurs avaient péri sous la lame drow... Depuis plusieurs siècles, une haine transmise de génération en génération séparait les elfes et les drows. Ces derniers, se croyant supérieurs, considéraient leurs cousins de la surface au mieux comme des esclaves potentiels, au pire comme de futures victimes offertes à Lloth, la cruelle déesse Araignée.

Une vive douleur au bas-ventre ramena Ambrethil à la réalité, lui arrachant une grimace. L'enfant semblait pressé de naître. Elle glissa sa main pâle – presque bleutée – sur son ventre arrondi pour apaiser la petite vie qui grandissait en elle. Ambrethil caressa sa peau distendue, chassant de son esprit les images sanglantes qui la hantaient parfois. Ce n'était pas bon pour le bébé.

Depuis qu'elle se savait enceinte, la jeune elfe s'était interdit de penser aux terribles exactions des drows qui souillaient le monde, répandant le sang des siens. Ce bébé était devenu sa seule raison de survivre et Ambrethil s'efforçait de ne penser qu'aux souvenirs heureux, aux années de bonheur passées à Laltharils auprès de ses parents.

Une violente contraction la plia en deux. La jeune femme prit une grande inspiration et serra les dents pour surmonter la douleur. Puis l'étreinte douloureuse se relâcha et Ambrethil put de nouveau souffler. Inutile d'appeler Viurna maintenant. Mieux valait la laisser dormir encore un peu et attendre que les contractions deviennent vraiment insupportables.

Chère Viurna… Ambrethil prit alors conscience de la chance incroyable qu'elle avait eue de pouvoir garder auprès d'elle sa fidèle suivante. À la fois nourrice, domestique et confidente, la vénérable elfe sylvestre faisait presque partie de la famille. Une intense complicité liait les deux femmes. Viurna était avec elle lorsque les drows avaient attaqué leur convoi et c'était un miracle qu'elle soit encore là pour l'aider à mettre au monde son premier enfant.

Ambrethil se rappela alors la nuit de leur enlèvement.

Les rôdeuses drows les avaient surpris au crépuscule. C'était à la fin de l'automne dernier. Leur convoi, composé d'une vingtaine d'elfes de lune de haute lignée et de quelques domestiques, s'engageait sur un chemin à la lisière de la forêt de Ravenstein pour rejoindre la cité de Laltharils. Féroces et cruelles, les guerrières elfes noires s'étaient montrées sans pitié, tuant tous ceux qui osaient leur tenir tête.

Ce fut grâce à sa beauté hors norme, à la finesse de ses traits, à la clarté de son regard et à sa magnifique chevelure blonde qu'Ambrethil avait été sauvée. Les rôdeuses l'avaient tout de suite repérée et mise à l'écart. La vieille domestique à laquelle elle semblait attachée, faisant une bien piètre offrande pour la déesse Araignée, avait elle aussi été épargnée.

Les drows comptaient tirer un très bon prix de ce lot d'esclaves. Les prisonnières furent achetées dès leur arrivée à Rhasgarrok par Elkantar And'Thriel. Ce sorcier elfe noir faisait partie de la prestigieuse Guilde de l'Ombre, experte dans la maîtrise de la magie noire. Pour un mâle, il jouissait d'une situation privilégiée au sein d'une société matriarcale très hiérarchisée, dirigée par les malfaisantes matrones.

Elkantar avait conduit ses nouvelles esclaves dans sa lugubre demeure, taillée au cœur même de la roche noire de la cité, leur adressant à peine la parole. Ambrethil avait alors craint le pire. La réputation des drows était hélas sinistre : ils étaient meurtriers, bourreaux, adeptes de rites barbares et sanglants. Leur race était pervertie par la déesse Araignée, qui imposait un culte exclusif en exhortant ses adeptes à commettre les pires bassesses de l'humanité.

Cependant, contre toute attente, le sorcier à la peau sombre et aux cheveux gris argent avait traité Ambrethil avec le respect dû à son rang. Il lui avait offert une chambre confortable, la laissant tranquille toute la journée. En contrepartie, il avait demandé à la jeune elfe argentée de se rendre tous les soirs dans ses appartements. La première fois, Ambrethil avait refusé, mais comme le drow menaçait de revendre la vieille elfe sylvestre, elle avait cédé.

Assez curieusement, Elkantar avait fait preuve d'une certaine douceur. Jamais il n'avait violenté sa captive. Lorsqu'au bout d'à peine deux mois de captivité, Ambrethil avait annoncé au drow qu'elle portait son enfant, il avait semblé satisfait, presque soulagé. Il l'avait alors dispensée des visites nocturnes, comme si son unique but avait été de concevoir ce bébé.

Peu après, Elkantar lui avait remis une superbe amulette nacrée. Était-ce pour la remercier ou pour protéger l'enfant qu'elle portait? Ambrethil ne le lui avait pas demandé, mais elle avait néanmoins glissé le bijou autour de son cou.

À partir de ce jour, l'elfe noir lui avait régulièrement rendu visite, comme pour surveiller le bon déroulement de sa grossesse et s'assurer que la future mère ne manquait de rien. D'un naturel peu loquace, le drow ne lui adressait que rarement la parole, mais de temps en temps, il lui offrait un bouquet de fleurs aux couleurs vives pour égayer sa chambre.

Elkantar était-il tombé amoureux?

Ambrethil en doutait. Les elfes noirs étaient incapables d'éprouver des sentiments purs tels que l'amour, la tendresse, l'amitié ou même la confiance. Hormis le précieux talisman et les fleurs qu'il lui avait offerts, jamais Elkantar ne lui avait témoigné le moindre signe d'affection. Pas un mot doux, pas une caresse ni même un sourire. Pourtant, un soir, le drow à la mine grave s'était assis auprès d'elle pour lui révéler ses tourments les plus secrets...

Une contraction intense arracha Ambrethil à ses pensées. Elle manqua de vomir. Dans un râle plaintif, elle appela Viurna.

La vieille elfe à la peau cuivrée et aux cheveux noirs, encore belle malgré les années, s'éveilla aussitôt pour se rendre au chevet de sa maîtresse. Avec des gestes pleins de douceur, Viurna apposa un linge chaud et humide sur le ventre d'Ambrethil afin de soulager sa douleur. Puis, tout en lui caressant le front, elle se mit à fredonner une ancienne berceuse en elfique qu'elle lui chantait autrefois pour l'endormir.

Honnie et bannie par les drows, la noble langue des elfes de la surface, aux accents si délicats et aux sonorités si fluides, apaisa immédiatement la parturiente, qui s'allongea de nouveau. La voix douce et chantante agissait comme un baume bienfaisant.

Les doigts fins d'Ambrethil cherchèrent entre ses seins l'amulette offerte par Elkantar. Ronde, pleine et blanche comme la lune, elle était gravée de la fine silhouette d'Eilistraée, la déesse solitaire et bienveillante. Dans le panthéon drow, Eilistraée était la fille de la redoutable Lloth. Rejetée par sa mère, la divinité argentée à l'apparence gracile était la patronne de quelques rares bons drows qui l'adoraient en secret. Déesse de la beauté, de la musique, du chant, de la lune, mais aussi de l'harmonie entre les races, Eilistraée avait protégé la grossesse d'Ambrethil qui, chaque nuit, lui avait adressé de ferventes prières.

L'elfe serra l'amulette nacrée au creux de sa main et songea à la terrible révélation d'Elkantar :

— La tradition ancestrale est incontournable, lui avait-il expliqué. À chaque génération, toute maison noble de Rhasgarrok doit offrir une fille au clergé de Lloth afin qu'elle devienne prêtresse. Or la maison And'Thriel n'a pas eu de fille à offrir depuis quatre générations. La grande prêtresse de Lloth, Matrone Zesstra, est furieuse. Elle pourrait m'anéantir et détruire à jamais ma maison, mais je lui rends de trop grands services pour qu'elle puisse se passer définitivement de moi. Il faut que tu saches, Ambrethil, que j'ai eu d'autres femmes avant toi et qu'elles n'ont engendré que des fils. Pour me punir, Matrone Zesstra les a tous fait enlever et sacrifier, anéantissant mes espoirs de succession... Voilà pourquoi je t'ai choisie. Dès que je t'ai vue chez ce marchand d'esclaves, j'ai su que *toi*, tu m'offrirais une fille. Une petite drow, plus belle que la nuit, qui viendrait réparer l'offense faite à Lloth, intégrerait son clergé et assurerait ainsi la survie de la maison And'Thriel. Grâce à cette enfant offerte, Matrone Zesstra ne touchera plus à mes fils. Ceux que tu me donneras bientôt.

Ambrethil avait blêmi.

— Et que se passera-t-il si... si malgré tout, je donne naissance à un garçon?

Le ton d'Elkantar s'était durci.

— Si par malheur cet enfant est un garçon, c'est que je suis maudit et que tous mes espoirs d'engendrer une fille sont définitivement perdus. Mais cette fois, je ne compte pas le remettre aux prêtresses de Lloth. J'ai trop souffert de voir ma descendance sacrifiée. J'organiserai votre fuite vers la surface. Tu retourneras chez les tiens et élèveras mon fils parmi les elfes de lune. La maison And'Thriel disparaîtra de Rhasgarrok mais ne mourra pas complètement. J'en fais le serment!

Contre toute attente, Elkantar avait alors saisi la fragile main d'Ambrethil pour la presser avec ardeur contre ses lèvres noires. Puis il s'était brusquement levé pour quitter la chambre sans se retourner.

Ambrethil, bouleversée, avait contenu sa joie. Mais depuis, pas un jour ne s'était écoulé sans qu'elle priât Eilistraée de lui donner un fils.

Les contractions, de plus en plus rapprochées, annoncèrent l'arrivée imminente du bébé. Dans moins d'une heure, Ambrethil serait fixée. Ou bien elle donnerait naissance à un petit garçon et regagnerait sa liberté, ou bien il s'agirait d'une petite fille et dans ce cas, il faudrait qu'Ambrethil prenne une décision avant qu'Elkantar ne la livre aux prêtresses... car abandonner son nouveau-né aux adeptes de la déesse maudite était impossible à imaginer. Savoir sa fille sous la coupe de ces redoutables prêtresses assoiffées de sang et de vengeance, forcée à commettre les pires atrocités pour assouvir les instincts cruels d'une divinité avide de souffrance, de torture et de mort... Jamais!

Assez!

Il ne fallait plus qu'elle y pense. Eilistraée lui accorderait un garçon. Cela ne pouvait en être autrement. Elle avait trop prié pour ne pas être exaucée.

— Maintenant, pousse, ma chérie! lui intima Viurna avec conviction. Pousse plus fort! Je sens sa tête... Allez! Un dernier effort!

Ambrethil prit une grande inspiration et parvint à réunir suffisamment de forces pour aider son enfant à se frayer un chemin dans l'intimité de son corps. Elle poussa trois fois. Au moment où le petit être jaillit dans la lumière bienveillante des bougies, Ambrethil faillit perdre connaissance tellement la douleur était grande. Mais elle ne devait pas sombrer dans l'inconscience... Pas maintenant! Elle devait savoir.

Insensible aux vagissements du nouveau-né, Viurna, méthodique et consciencieuse, coupa le cordon qui reliait encore l'enfant à sa mère. Ambrethil remarqua alors les sillons humides qui couraient entre les rides de la vénérable aïeule.

— Viurna, murmura-t-elle en étouffant un sanglot. Je te connais assez pour savoir que ce ne sont pas des larmes de joie... Dis-moi la vérité!

La vieille nourrice se contenta de lui tourner le dos pour renifler bruyamment. Elle plongea l'enfant dans la bassine d'eau chaude pour le nettoyer. Le bébé cessa aussitôt de pleurer.

— Dis-moi, Viurna! hurla alors la jeune maman désespérée. C'est... c'est une fille, n'est-ce pas? J'ai accouché d'une petite... drow?

Toujours de dos, la domestique préféra ne pas répondre, se concentrant sur les soins du nourrisson. Puis, en entendant Ambrethil sangloter, elle se racla la gorge, nouée par l'émotion, avant de lui confier :

— Oui, Ambrethil, tu as eu une fille. Mais elle... Ce n'est pas une drow!

— Montre-la moi! ordonna la jeune femme, le cœur battant à tout rompre.

Viurna sortit le bébé de son bain, l'enveloppa dans un linge clair, puis elle se retourna et déposa l'enfant sur sa mère.

Ambrethil suffoqua de stupeur.

Sa fille était blanche! Blanche comme l'albâtre. Blanche comme la lune.

Elle avait les yeux encore plus clairs que ceux d'Ambrethil, aussi limpides qu'un ciel d'été. D'Elkantar, son père, elle n'avait rien. Entre ses mèches d'argent pointaient deux minuscules oreilles pointues délicatement ourlées.

L'enfant était magnifique : une adorable elfe argentée!

Instinctivement, le nourrisson, guidé par l'odeur, enfouit son petit nez dans le giron maternel à la recherche d'un sein nourricier. Il attrapa goulûment le téton bleuté de sa mère et, pendant qu'il aspirait avec avidité, ses minuscules doigts s'agrippèrent à l'amulette de nacre blanche.

Déjà pleine d'amour pour sa petite merveille, Ambrethil oublia la douleur, ses peurs, et succomba immédiatement au charme de cette enfant. La fusion si parfaite de leur corps, son parfum si chaud, sa peau si veloutée... Ambrethil se serait volontiers abandonnée à l'extase de ce moment magique si un flot de pensées morbides ne l'avait assaillie.

Une elfe de lune!

Comment réagirait Elkantar? Croirait-il qu'elle l'avait trompé? Dans ce cas, quel sort leur réserverait-il à toutes les deux? Il ne lui avait jamais fait aucun mal, mais se croyant trahi, serait-il capable de les tuer? Et dans le cas contraire, confierait-il la petite aux prêtresses drows? Les redoutables elfes noirs accepteraient-elles de compter une elfe de lune parmi les adoratrices de Lloth?

La réponse était évidente. Jamais la petite fille ne deviendrait clerc ni prêtresse de Lloth. Si Elkantar décidait de la leur livrer malgré tout, il était certain que la terrible Matrone Zesstra se réjouirait de pouvoir faire don d'une offrande aussi précieuse à leur sanglante déesse.

Ambrethil comprit immédiatement ce qui lui restait à faire.

Et il n'y avait pas une minute à perdre.

1

La lumière du jour déclinait rapidement. Dans quelques minutes seulement, toute la forêt de Wiêryn sombrerait dans la glaciale torpeur de la nuit. L'hiver serait sans doute précoce cette année, les premiers flocons n'allaient pas tarder à apparaître. Il faudrait faire des réserves conséquentes pour survivre aux violents blizzards qui ravageraient bientôt la région.

Pour l'instant, le froid était encore supportable et Luna, couverte d'un lourd manteau en peau de loup, était assise sur un tapis de feuilles rousses, au pied d'un grand chêne.

L'adolescente avait ramassé les plus beaux glands qu'elle avait trouvés et, à l'aide d'une fine aiguille taillée dans un petit os, elle perçait minutieusement chacun d'entre eux. Une fois ce travail terminé, elle arracha un des fils argentés qui dépassaient de sa capuche et y enfila les glands, un par un. Puis Luna noua les deux extrémités du fil et tendit les deux bras pour observer son travail. Elle sourit, fière d'elle : le collier était magnifique! Elle l'offrirait à Shara.

En pensant à sa mère, Luna s'aperçut qu'il était tard et qu'elle était partie depuis plusieurs heures déjà. Shara risquait de s'inquiéter si sa fille ne rentrait pas au plus vite.

Luna fourra le présent dans sa poche en se relevant. Elle secoua les feuilles mortes qui collaient à son manteau et regarda autour d'elle. Il faisait pratiquement nuit, mais comme tous les elfes, elle possédait une excellente acuité visuelle ainsi que la faculté, peu commune, de voir dans le noir. Retrouver sa famille ne serait pas difficile, il fallait seulement qu'elle évite de trop flâner en chemin, car les prédateurs affamés étaient nombreux à l'approche de l'hiver.

L'elfe se mit en route sur un sentier dégagé.

L'air était vif, mais d'une pureté incroyable et Luna s'amusait à observer les volutes blanchâtres que produisait son souffle chaud à chaque expiration. Elle y voyait des formes étonnantes, s'inventait des amis irréels, riait en imaginant la silhouette dansante d'une fée ou l'affreux visage d'un gnome des bois.

Soudain, un éclat de lune tomba sur un buisson en face d'elle et un franc sourire se dessina sur son visage pâle. Des mûres! Il en restait encore? Luna s'empressa de cueillir les précieuses baies noires pour les glisser dans son autre poche. Elles seraient pour Zek.

Toute petite, déjà, Luna faisait toujours preuve d'une incroyable générosité. Partager, donner, faire plaisir aux autres avant de penser à elle-même lui semblait naturel. Shara l'avait adoptée et allaitée comme sa propre fille, elle lui avait sauvé la vie. Désormais, Luna s'évertuait à lui montrer à quel point elle les aimait, elle et sa famille. Les autres ramenaient toutes sortes de gibiers, mais elle, la petite elfe gracile et délicate, ne savait pas encore chasser. Alors, elle offrait ce qu'elle glanait dans la nature, dénichant souvent des merveilles, fabriquant quelquefois des trésors.

De nature curieuse et enjouée, l'adolescente s'était parfaitement intégrée au groupe. Et si, parfois, elle se montrait plus taciturne et mélancolique, ses frères respectaient son silence et sa solitude. Ils attendaient simplement que sa tristesse passe et l'accueillaient toujours joyeusement, lui montrant à quel point ils tenaient tous à elle. Luna était heureuse auprès des siens et espérait du fond du cœur qu'il en serait toujours ainsi.

En passant près de l'étang, elle ne put s'empêcher de s'approcher de la berge. Luna adorait cet endroit. Lorsque de sombres pensées l'envahissaient, c'était souvent là qu'elle venait se réfugier. Elle pouvait rester des heures à observer les reflets des nuages glissant sur le miroir de l'eau. Mais la nuit, le spectacle était encore plus fascinant.

Surtout cette nuit.

La lune était pleine et se reflétait dans les ténèbres de l'étang. Les deux cercles d'argent brillaient d'un même éclat au milieu du firmament étoilé. Pour un peu, on aurait dit deux jumelles, entourées de lucioles, qui se confiaient leurs secrets. Luna les regarda, rêveuse. Peut-être parviendrait-elle un jour à percer l'un d'entre eux. Après tout, n'étaient-elles pas un peu sœurs? Le Marécageux disait tout le temps qu'elle ressemblait à l'astre de la nuit. C'était d'ailleurs lui qui l'avait prénommée *Luna*!

L'adolescente se pencha au-dessus de l'eau noire et contempla son reflet.

Oui, Luna ressemblait comme deux gouttes d'eau à la lune : sa peau laiteuse, presque bleutée, rappelait la teinte diaphane de l'astre, ses traits fins et délicats lui conféraient une beauté déjà exceptionnelle pour son jeune âge, ses yeux, telles deux billes d'opale, brillaient de malice.

D'un gracieux geste de la main, elle repoussa sa capuche, libérant ainsi une cascade de cheveux qui vint toucher l'eau. Elle balança lentement la tête à gauche, puis à droite, et sourit en admirant ses oreilles pointues qui dépassaient de la masse argentée. Elle était très différente des siens, mais cette singularité l'amusait. Elle se trouvait même plutôt jolie.

Soudain, le hurlement lugubre d'un loup, au loin, la fit sursauter.

Il était vraiment temps de rentrer. Il lui semblait d'ailleurs étrange que Shara n'ait pas déjà envoyé Elbion à sa recherche. D'habitude, c'est ce qu'elle faisait.

L'elfe rabattit sa capuche et balaya la surface de l'eau avec son autre main, comme pour effacer son reflet. Puis, après avoir salué la lune, elle se mit à courir en direction de la clairière.

Luna courait vite malgré ses douze ans et possédait une bonne endurance. On aurait presque dit qu'elle volait tant sa course était silencieuse et fluide.

Elle n'était plus qu'à un kilomètre de chez elle lorsqu'elle entendit une branche craquer sur sa gauche. Elle s'arrêta immédiatement, tous ses sens aux aguets.

Le cœur battant, elle tendit l'oreille. Mais la forêt, dans son noir linceul, était d'un silence sépulcral. Elle plissa les yeux pour distinguer l'animal ou la créature qui approchait, mais rien ne bougeait plus autour d'elle. Elle huma l'air glacial en imitant Elbion, chasseur averti, mais le souffle du vent ne charriait aucune odeur animale.

Soudain, une ombre furtive dans la clarté de la lune attira son regard. Luna eut tout juste le temps de tourner la tête que déjà la bête bondissait sur elle.

Un énorme loup blanc, toutes griffes dehors.

2

Comme le soleil se couchait, Darkhan pressa le pas. Il devait absolument pénétrer dans la cité maudite avant que les sentinelles n'en interdisent l'accès. Un sévère couvre-feu empêchait en effet tout étranger de s'infiltrer dans Rhasgarrok après le crépuscule.

Le guerrier avait quitté Dernière Chance à l'aube. C'était l'ultime bourg civilisé, habité par une poignée de *gobelins*, avant le territoire maudit des elfes noirs. La plaine d'Ank'Rok, bordée au nord par la cordillère de Glace et au sud-est par les montagnes Rousses, était une vaste étendue désertique où nulle plante ne poussait, la moindre pousse étant comme terrassée d'avance par les mauvaises ondes du peuple drow. Seuls les bois de Brume subsistaient au nord-ouest de la ville, mais personne ne s'y aventurait jamais, car on racontait que les prêtresses de Lloth s'y rendaient les nuits de pleine lune pour se livrer à de macabres rituels.

Darkhan n'était jamais venu jusqu'ici, mais son père lui avait tellement parlé de cet endroit maléfique qu'il avait l'impression de reconnaître les rochers fouettés par le vent, les carcasses abandonnées, les ruines calcinées qu'il rencontrait sur sa route.

Ici, tout puait la mort.

Lorsqu'il aperçut la montagne noire qu'on appelait le Rhas, Darkhan sut qu'il était enfin arrivé. Machinalement, il serra la garde de sa longue épée et se rappela ce que son père lui avait dit :

« Lorsque tu seras face au Rhas, contourne-le par la gauche pour te rendre sur le versant nord. C'est plus escarpé, mais surtout beaucoup moins risqué que l'entrée sud, généralement gardée par des guerrières de Lloth. Grimpe sur environ cinquante mètres. Tu apercevras alors un rocher en forme d'ours et, juste au-dessus, tu découvriras une anfractuosité dans la roche. La grotte sera certainement surveillée, mais tu diras aux gardes que tu es un espion attendu d'urgence à la maison Kel'Istror. Ils te laisseront passer. Si ce n'est pas suffisant, tu leur remettras cette bourse. Son contenu devrait satisfaire leur cupidité. »

Darkhan soupesa la lourde bourse en cuir au fond de la poche de son manteau et prit une profonde inspiration. La partie la plus délicate de sa mission allait commencer. Jusque-là, il n'avait eu affaire qu'à quelques rôdeurs isolés, qui auraient bien planté leur dague entre ses deux yeux pour le dépouiller de son armure noire ou de sa longue épée ouvragée. C'était sans compter sur la dextérité et la force de Darkhan : pas un seul n'avait survécu. Darkhan ne tuait pas par plaisir, mais quiconque se dressait sur son chemin trouvait un adversaire redoutable. Son père lui avait appris à se battre comme personne.

Le jeune guerrier se glissa sans difficulté jusqu'au versant nord du Rhas, en évitant de trop regarder les arbres décharnés des bois de Brume qui se découpaient dans la lumière écarlate du soleil couchant. Ce soir, la lune serait pleine et les hordes de matrones drows ne tarderaient pas à sortir de leur repaire pour offrir du sang frais à la déesse Araignée. C'était à cause de toutes ces exactions que son père avait quitté les siens trente ans auparavant. Sarkor, le guerrier drow, avait fui cette société matriarcale, cruelle et sans pitié, où les hommes, avilis dès leur plus jeune âge, devaient se soumettre à la suprématie de Lloth ou mourir. Il avait refusé de se plier aux règles, préférant l'exil à la soumission.

Darkhan ressemblait beaucoup à son père. Ils avaient les mêmes yeux noirs, les mêmes cheveux d'ébène tressés en une longue natte, le même teint d'obsidienne. Pourtant, Darkhan était un sang-mêlé. Né à Laltharils d'une mère elfe de lune, il n'avait pas été perverti par les mœurs maléfiques des drows. Néanmoins, lorsqu'il avait été suffisamment mûr pour comprendre, son père ne lui avait rien caché de ses origines et des elfes noirs de Rhasgarrok. Le portrait que Sarkor lui avait dressé de la société drow – émaillé d'anecdotes terrifiantes ainsi que du récit de quelques rituels barbares – lui avait permis d'avoir une juste vision des horreurs dont les elfes noirs étaient capables. Depuis ce jour, Darkhan avait renié ses racines, maudissant la déesse Araignée pour avoir souillé son peuple, admirant son père pour avoir bravé les interdits et respectant sa mère pour avoir vaincu ses préjugés.

Darkhan s'était également juré de ne jamais se rendre à Rhasgarrok.

Pourtant, il avait accepté la mission que lui avait confiée le roi des elfes argentés. Pour sauver ceux qui avaient accueilli son père, il était prêt à tous les sacrifices, même à renier la promesse qu'il s'était faite...

Darkhan escalada le versant nord et avisa rapidement l'imposant rocher en forme d'ours. Dans un dernier effort, il se hissa au-dessus et, sans hésiter une seconde, se glissa dans la gueule noire de la grotte. Il y voyait comme en plein jour, ayant hérité des caractéristiques génétiques de son père. En effet, l'obscurité n'était pas un problème pour les drows habitués à vivre dans un monde souterrain privé de lumière naturelle.

Trois gardes à la mine renfrognée lui barrèrent aussitôt la route. L'un d'eux, brandissant un sabre dentelé, se planta face à Darkhan en s'écriant :

— Halte-là! On n'entre pas dans la cité de Lloth après le coucher du soleil!

Darkhan serra les dents pour contenir sa haine. Il aurait pu lui passer son épée au travers du corps et affronter la deuxième sentinelle, mais le dernier drow en aurait profité pour donner l'alerte. Mieux valait s'en tenir au plan de son père.

— Le soleil n'est pas encore couché! répliqua Darkhan. Et depuis quand refuse-t-on l'entrée de Rhasgarrok à un espion de la maison Kel'Istror?

Le garde perdit d'un coup son arrogance et jeta un coup d'œil inquiet à ses acolytes, qui se contentèrent de hausser les épaules. L'un des gardes s'avança alors vers Darkhan et agita ses mains dans une danse complexe assortie de mimiques du visage. Darkhan reconnut aussitôt le langage gestuel que les elfes noirs utilisaient entre eux pour plus de discrétion. Comme une sorte de code réservé aux initiés. Peut-être voulaient-ils le tester…

Mais Sarkor n'avait pas fait l'erreur de laisser son fils dans l'ignorance de cette langue secrète. Darkhan était même devenu un expert et maniait toutes les subtilités de ce langage silencieux d'une rare complexité.

Le guerrier répondit au garde en utilisant une succession de signes de mains et d'expressions du visage pour lui signifier qu'il acceptait de payer le bakchich qu'ils lui réclamaient. Darkhan sortit la bourse de sa poche et la tendit aux gardes, qui la saisirent hâtivement. Un signe de tête suffit à lui faire comprendre que la voie était libre.

Darkhan s'enfonça sans attendre dans l'obscure galerie qui menait jusqu'aux profondeurs de la gigantesque ville souterraine. Cent fois, son père lui avait répété le parcours qu'il aurait à emprunter. Cent fois, Darkhan s'était représenté le chemin tortueux qui descendait dans les entrailles de la Terre, les ruelles malfamées, peuplées de créatures malfaisantes attirées par un négoce facile et juteux, les coupe-gorge où les poignards attaquaient par-derrière pour quelques piécettes seulement.

Darkhan savait qu'il n'aurait pas une seconde de répit dans cette cité de tous les dangers, où l'on se contentait de ramasser régulièrement les cadavres jonchant le pavé avant qu'ils n'empestent trop et attirent d'indésirables bestioles nécrophages.

Arrivé à un croisement taillé au cœur de la roche, le guerrier emprunta le tunnel de droite et poursuivit sa descente. Quelques rares ouvertures taillées le long des parois suintantes d'humidité semblaient indiquer que l'endroit était habité, mais il ne croisa pas âme qui vive.

Au fur et à mesure que Darkhan s'enfonçait dans les méandres des faubourgs de Rhasgarrok, les habitations se faisaient plus nombreuses et moins rudimentaires. Les portes barricadées, les fenêtres grillagées indiquaient qu'ici-bas, on se méfiait des voleurs et des criminels.

Soudain, au détour d'une venelle, Darkhan tomba sur une patrouille de guerrières drows. Il baissa aussitôt la tête pour éviter leur regard. Inutile de s'attirer des ennuis maintenant. Elles, en revanche, le toisèrent avec insistance, affichant ouvertement leur mépris. Vêtues d'armures hérissées de pics, elles étaient entourées de leurs immondes gardes du corps *urbams.* Darkhan avait entendu son père dire que ces créatures repoussantes étaient le fruit d'expériences contre nature, de croisements ratés entre des gobelins et des elfes noirs. Ces êtres difformes et chaotiques, entièrement dévoués à leur maîtresse drow, étaient d'une cruauté sans pareille. On les disait prêts à toutes les horreurs et volontiers cannibales.

Lorsque les guerrières se furent suffisamment éloignées, Darkhan s'autorisa à souffler et à relever la tête. Heureusement qu'elles ne l'avaient pas interpellé : le coup de l'espion n'aurait sûrement pas fonctionné avec elles.

Au bout d'une bonne heure de descente, Darkhan déboucha enfin sur une vaste caverne qui faisait office de place centrale. Une demi-douzaine de rues partaient de cet endroit pour se perdre plus loin encore dans les profondeurs de Rhasgarrok. Quelques immenses chandeliers suspendus au plafond diffusaient une clarté surprenante qui déchirait les ténèbres environnantes.

Ici, la cité semblait prendre vie. Une foule hétéroclite composée de drows et de gobelins dégénérés grouillait en tous sens. Devant un parterre de curieux, un orque d'une laideur inouïe vantait les qualités et la *fraîcheur* de ses esclaves. Darkhan grimaça. Son père l'avait prévenu que l'esclavage était une manne financière pour Rhasgarrok et qu'en aucun cas il ne devrait tenter de libérer des esclaves : c'était considéré comme un crime de la pire espèce. Tout coupable était aussitôt dénoncé aux autorités et jeté en prison en attendant d'être jugé par les matriarches drows. Évidemment, ce genre de procès était joué d'avance et l'accusé n'avait aucune chance d'en sortir vivant.

L'esclavagiste proposait aux passants ses nouvelles acquisitions : un couple d'humains en parfaite santé, six *halfelins* qui, une fois matés, deviendraient de remarquables espions, quelques nains dont une femelle enceinte, un barbare qui ferait un champion hors pair, mais le clou de sa collection semblait ailleurs...

— Article rare! Du premier choix! clama l'orque à qui voulait bien l'entendre. Il est jeune, en pleine forme et manie le cimeterre comme personne. Approchez tous voir mon elfe de lune et sortez votre or!

À ces mots, le cœur de Darkhan fit un bond dans sa poitrine. En blêmissant, il s'approcha et joua violemment des coudes pour apercevoir l'esclave : il craignait de découvrir que le pauvre garçon faisait partie de ses connaissances. Lorsqu'il le vit enfin, Darkhan fut soulagé de ne pas le connaître, même si le fait de voir un elfe de lune parmi les esclaves de l'orque le révoltait, attisant davantage sa haine pour cette société décadente.

L'elfe était beau, mais surtout très maigre. Ses yeux lavande étaient cernés et ses traits tirés. Il semblait mal en point même s'il n'avait pas de blessure apparente. Envahi par la nausée, Darkhan ne put s'empêcher de se demander ce qu'allait devenir un être aussi pur dans la fange de Rhasgarrok. Par qui serait-il acheté? Reverrait-il un jour la surface avant de mourir?

Une voix derrière lui apporta un début de réponse :

— Cent pièces d'or pour l'elfe!

Mais un autre drow surenchérit immédiatement. Le visage de l'orque se fendit d'un sourire carnassier. Il avait d'ores et déjà gagné sa journée. Finalement, ce fut un troisième drow, au visage ravagé par une vilaine cicatrice, qui remporta les enchères. Le balafré déboursa presque mille pièces d'or et repartit avec l'elfe de lune.

Le regard lavande accrocha alors celui de Darkhan. Mais celui-ci n'y lut que haine et rage à son égard et détourna aussitôt ses yeux noirs. Comment l'esclave aurait-il pu deviner que derrière la peau noire de Darkhan se cachait le cœur d'un elfe argenté?

Plein de honte et de remords, le guerrier s'éloigna de la place. Il aurait aimé pouvoir acheter l'elfe et lui rendre sa liberté, mais il ne possédait pas une telle somme. Par ailleurs, il avait une mission de la plus haute importance à accomplir et n'avait pas le droit de faillir à sa tâche. La survie de tous les elfes argentés de Laltharils dépendait de lui. Il ne pouvait pas tout remettre en cause pour sauver un seul d'entre eux.

Darkhan, encore bouleversé par l'odieux trafic, s'enfonça plus profondément encore dans les méandres labyrinthiques de l'immense ville souterraine. Il s'engagea dans une rue un peu plus large que les précédentes, éclairée par des torches bleutées, fichées dans la paroi. Contrairement à la place, l'endroit était assez peu fréquenté, mais Darkhan, méfiant, se retourna plusieurs fois, sur le qui-vive. Soudain, dans une ruelle adjacente jaillit un hurlement de terreur. Darkhan s'immobilisa et tourna la tête.

Au fond d'une impasse crasseuse, deux urbams couverts de pustules traînaient une jeune humaine par sa longue chevelure. La pauvre femme se débattait en gémissant, mais elle n'était pas de force à lutter contre ses agresseurs.

Sans réfléchir, Darkhan dégaina son épée et s'élança vers les créatures malfaisantes.

Si délivrer un esclave était un crime, tuer des urbams n'était pas puni par les lois de Rhasgarrok, alors inutile de laisser cette innocente se faire égorger sous ses yeux. Ce geste ne rachèterait pas son impuissance face à l'elfe de lune, mais il apaiserait peut-être un peu sa colère.

3

L'énorme bête, tous crocs dehors, se jeta sur Luna, la faisant basculer dans l'herbe humide.

— Elbion! s'écria l'adolescente en éclatant de rire. Tu m'as fait peur, fripouillot!

Le grand loup lécha joyeusement le visage de Luna, qui se tortilla de plaisir.

— Allez, c'est bon, maintenant. Lâche-moi, gros lourdaud! râla-t-elle entre deux éclats de rire. Shara va gronder si nous arrivons trop tard! Allez, pousse-toi!

Comme s'il la comprenait, le loup au magnifique pelage ivoire fit un bond sur le côté en remuant la queue, signe qu'il était content de la revoir. L'elfe se releva et fourragea l'épaisse fourrure de l'animal, qui jappa de plaisir. Leur complicité était incroyable.

Luna câlina le loup quelques minutes encore, puis elle chevaucha la bête, qui s'élança au galop. Grisée par la fraîcheur du vent, elle ferma les yeux, savourant ce pur moment de bonheur. La vitesse repoussa sa capuche et libéra le flot argenté de sa chevelure.

Étrange vision que celle de cette elfe couleur de lune glissant dans la nuit sur le dos d'un grand loup blanc!

Lorsqu'ils parvinrent à la clairière, Luna sauta à terre et escalada sans mal la falaise qui menait à la grotte. Tout était silencieux. Les autres dormaient et Shara, seule, veillait sur son clan.

En apercevant Luna, la vieille louve grise grogna légèrement, faisant ainsi comprendre à sa protégée qu'elle n'était pas contente de la voir rentrer si tard. Malgré son âge vénérable, Shara dirigeait encore la meute avec autorité. Zek, son compagnon, avait eu quelques difficultés à s'intégrer – les loups albinos étant souvent rejetés et mis à l'écart –, mais la meute n'avait pas eu d'autre choix que de se plier à la volonté de la louve alpha. Par la force des choses, Zek l'albinos était devenu le chef du clan et Elbion, son fils, serait sans doute son successeur.

Luna s'approcha de la louve en rentrant la tête dans ses épaules et en courbant l'échine. Elle faisait ainsi montre de respect et d'humilité face à la dominante. L'adolescente avait vite appris les règles de communication entre les loups et savait comment se comportaient ses frères face à un congénère de rang supérieur.

La louve s'assit et frotta son museau contre les cheveux argentés de Luna. L'elfe, y voyant un signe de réconciliation, serra le cou de sa mère pour l'embrasser avec tendresse. Shara ne restait jamais en colère très longtemps contre Luna; elle possédait d'ailleurs envers elle une patience dont ne bénéficiaient pas ses propres louveteaux.

— Regarde, Shara, ce que je t'ai fabriqué! murmura Luna en sortant de sa poche le magnifique collier de glands. C'est joli, hein?

Elle lui passa autour de la tête et recula en souriant.

— J'ai trouvé des mûres, aussi, mais c'est pour Zek! ajouta-t-elle en pénétrant dans l'ombre de la grotte.

À son approche, quelques loups endormis les uns contre les autres sur un lit d'herbes sèches et de poils dressèrent leurs oreilles et humèrent l'air, sans toutefois relever la tête. Tous avaient reconnu l'odeur caractéristique de l'elfe qui vivait avec eux. Ils se rendormirent aussitôt, apaisés.

Luna se dirigea vers le loup albinos, qui faisait certainement semblant de dormir, et déposa les baies noires près de son museau. Puis elle retourna auprès d'Elbion et se roula en boule contre lui. Sa chevelure de lune s'étala sur le flanc clair de l'animal et bientôt leurs deux respirations s'unirent en un seul souffle.

Le lendemain matin, lorsque Luna ouvrit les yeux, la tanière était déjà vide, mais elle savait qu'Elbion ne devait pas être bien loin. Elle se leva et s'étira en bâillant bruyamment.

Les rayons du soleil matinal la caressèrent et les effluves de la forêt humide montèrent jusqu'à elle. Luna respira avec avidité tout en se dirigeant vers l'entrée de la grotte. Elle remarqua la trace rouge à l'endroit où elle avait laissé les mûres et sourit en imaginant Zek qui s'en régalait. En théorie, les baies sauvages ne faisaient pas partie du régime alimentaire des grands canidés, mais aucun n'aurait refusé un cadeau de leur protégée.

Arrivée au bord de la falaise, Luna plissa les yeux, éblouie par la vive lumière, et sourit à Elbion qu'elle venait d'apercevoir en contrebas, pataugeant dans le ruisseau qui traversait la clairière. Elle siffla à l'adresse de son frère et dévala la pente, pressée de le retrouver.

Le loup leva la tête et aboya en guise de salut amical.

— Bonjour, Elbion! claironna l'elfe en se penchant au-dessus du ruisseau.

Accroupie dans l'herbe couverte de rosée, Luna plongea sa main dans l'eau glaciale et la porta à ses lèvres. Elle but lentement, savourant la pureté de cette eau limpide, mais ne put réprimer un frisson.

— Cornedrouille! Qu'elle est froide, ce matin! Bien trop froide pour la toilette!

C'est alors qu'Elbion s'approcha d'elle, sans un bruit, et s'ébroua juste sous son nez. Luna recula d'un bond, mais trop tard.

— Oh, non! gémit-elle. Espèce de crassouillot! À cause de toi, je suis toute mouillée! Tu m'as eue par surprise, mais attends un peu… Tu vas voir, traîtrard!

L'adolescente se débarrassa de sa chaude pelisse et balança une grosse gerbe d'eau sur le museau du loup, retrouvant instantanément le sourire. Les deux frères s'éclaboussèrent avec force cris et aboiements de joie.

Luna et Elbion passaient toutes leurs journées à chahuter, à jouer, à se chamailler et à se réconcilier pour leur plus grand plaisir. La plupart du temps, le loup trottinait tranquillement à côté de l'elfe, qui s'arrêtait pour cueillir des baies, des châtaignes ou encore des champignons. Parfois, l'animal s'éclipsait pour courir après un lièvre ou une perdrix et revenait chaque fois auprès d'elle, sa proie dans la gueule.

Luna s'entendait bien avec toute la meute, mais ne partageait cette complicité avec aucun autre membre du clan. Seul le grand loup blanc semblait rechercher à ce point la compagnie de l'elfe. Ils étaient inséparables. Sauf lorsque Luna se rendait chez le Marécageux.

L'adolescente ignorait le véritable nom du vieil elfe sylvestre qui vivait dans le marais de Mornuyn, mais elle l'aimait énormément. C'est lui qui l'avait trouvée et recueillie. Il l'avait ensuite confiée à Shara, qui allaitait justement sa nouvelle portée. Puis il lui avait montré comment se nourrir après le sevrage, comment reconnaître les plantes et les fruits comestibles, comment marcher et se tenir debout. Enfin, il lui avait appris à parler le *commun*, à le lire et à l'écrire.

Régulièrement, Luna lui rendait visite pour une nouvelle leçon. C'était une élève extrêmement douée et intelligente, qui faisait la fierté du vieil ermite. Bientôt, il pourrait lui enseigner les rudiments de l'elfique, la langue des siens. Lorsqu'elle s'était montrée particulièrement brillante, pour la récompenser, le Marécageux lui racontait les légendes du peuple des elfes argentés et parfois – ô, bonheur suprême! –, il lui fredonnait même de courts passages d'anciens chants oubliés de tous. L'adolescente n'aurait raté ces moments pour rien au monde.

Ce jour-là, Luna avait justement décidé d'aller se promener du côté du marais pour rendre visite à son vieil ami. Elbion en profiterait pour chasser dans les parages.

À mi-chemin, alors que l'elfe s'arrêtait pour ramasser trois magnifiques cèpes encore intacts, un hurlement retentit au loin. Sa main se figea.

Ce n'était pas Shara qui l'appelait, comme la veille au soir, mais bien un cri d'alarme cette fois, signifiant qu'un membre du clan était en danger! Or l'elfe avait reconnu la voix rauque et puissante du mâle dominant. Zek était pourtant un loup robuste et sa couleur blanche impressionnait les prédateurs éventuels. Nul animal n'aurait osé s'attaquer à Zek… Même les ours bruns passaient leur chemin, lui préférant des proies plus communes.

Alerté par ce hurlement, Elbion jaillit des fourrés et lâcha la poule d'eau qu'il avait commencé à déchiqueter. Les oreilles en arrière, la queue rabattue sur le flanc droit, le grand loup blanc se mit à aboyer, visiblement inquiet.

— Par le Grand Putride! Ton père est en danger! lui cria l'adolescente affolée. Rentrons vite!

Luna grimpa sur son frère et s'agrippa de toutes ses forces aux longs poils drus lorsque Elbion bondit en direction de la tanière.

Après vingt minutes de course effrénée, ils arrivèrent enfin au pied de la falaise. Luna grimpa se mettre en sécurité pendant qu'Elbion faisait demi-tour. Maintenant que l'adolescente était à l'abri, le loup devait rejoindre la meute pour porter secours au dominant.

Tous les autres membres du clan avaient déjà répondu à l'appel de Zek.

L'elfe resterait au fond de la grotte, avec Kayla et Moïra, les deux jeunes louves chargées de surveiller les louveteaux de Shara. Bork et Neil, les grands vieux loups, garderaient l'entrée de la caverne en l'absence du couple alpha.

Blottie contre les bébés loups et protégée par les quatre adultes, Luna se mit à trembler, effrayée à l'idée qu'il soit arrivé malheur au compagnon de sa mère. Elle craignait également qu'Elbion ne revienne blessé. Ou pire, qu'il ne revienne pas du tout...

Lorsque s'éleva la plainte lugubre des hurlements du clan, Luna comprit immédiatement qu'un drame venait d'avoir lieu et se mit à sangloter en silence.

Shara fut de retour la première.

Son museau gris était couvert de sang et une large plaie à la patte arrière gauche la faisait boiter. Luna échappa à la vigilance de Kayla pour se précipiter au-devant de sa mère.

Pourtant, en l'apercevant, la louve grogna de façon inhabituelle. Luna s'immobilisa, interdite. Jamais Shara ne lui avait manifesté la moindre agressivité.

Puis Luna avisa alors Elbion qui venait d'arriver. Lui aussi avait la gueule écarlate. L'adolescente souffla de soulagement en constatant qu'Elbion n'avait rien et qu'il ne s'agissait pas de son sang. Luna observa ensuite les autres mâles de la meute. Quatre d'entre eux étaient blessés. Le combat avait dû être rude.

Un flot de larmes envahit alors ses yeux clairs : elle venait de comprendre que Zek ne rentrerait jamais plus à la tanière.

Quelques minutes plus tard, Shara réunit la meute autour d'elle et tous se mirent à hurler d'une seule et même voix. Hurlement sinistre comme une plainte funèbre, poignante de tristesse et de désespoir. Ultime oraison en hommage au grand loup albinos qui venait de perdre la vie.

C'était dans des moments comme celui-là que Luna percevait tout le poids de la différence. Ne pouvant se joindre à eux, l'adolescente se sentait presque exclue de cette famille en pleine communion. Alors, elle se mit à fredonner un refrain en elfique que le Marécageux lui avait chanté un jour. Elle n'en comprenait pas les paroles, mais la mélopée, lente et triste comme un chant d'adieu, semblait convenir.

Ensuite, Shara s'isola dans un coin de la grotte pour panser ses blessures, rejetant avec force le réconfort des siens. Elle grogna même contre un louveteau intrépide qui s'était approché un peu trop près d'elle. Luna comprit que sa mère avait besoin d'être seule.

La situation était grave. Si la dominante tardait à se trouver un autre compagnon, une des louves plus jeunes chercherait peut-être à prendre sa place. Or Luna n'avait qu'une seule crainte : que Shara choisisse son fils, Elbion. S'il devenait le mâle dominant, le loup blanc ne pourrait plus passer autant de temps avec elle. C'en serait fini de leur complicité, de leurs promenades, de leurs courses effrénées.

Une langue douce sur sa joue la tira de ses sombres pensées. Elbion se tenait droit devant elle et la regardait fixement, ses prunelles brunes vrillées dans les siennes. Puis, il agrippa sa manche pour la tirer.

— Eh… Elbion! Arrête ça, fripouillot, je ne suis pas d'humeur à jouer! le gronda-t-elle sans conviction.

Mais le loup tira de plus belle, la forçant à se relever.

— Que se passe-t-il, bigrevert? râla Luna. Tu veux que je te suive? C'est ça?

Elbion lâcha la manche pour aboyer et se mit à courir vers la sortie de la grotte. Le message était clair. Luna devait le suivre!

L'adolescente, se demandant ce qu'Elbion avait de si important à lui montrer, s'apprêta à lui emboîter le pas, mais avant d'aller plus loin, elle jeta un coup d'œil à sa mère. Elle fut surprise de constater que Shara la fixait, les oreilles dressées, la gueule entrouverte et les babines légèrement retroussées. Ce n'était pas une posture bienveillante, au contraire! Un loup ne se comportait ainsi qu'en face d'un intrus, lorsqu'il ignorait encore quelle réaction adopter. Pour la première fois, on aurait dit que Shara se méfiait d'elle.

Luna se figea, bouleversée.

Elbion aboya de nouveau et dévala la falaise en direction de la clairière. L'elfe, la gorge serrée par le chagrin, le suivit après un instant d'hésitation.

Traumatisée par l'étrange réaction de sa mère, Luna traversa la clairière en silence. Elbion jappait à ses côtés afin qu'elle grimpe sur son dos. L'elfe se hissa sur l'imposante échine de son frère, qui se mit à courir en direction de l'est.

La forêt de Wiêryn était l'une des plus étendues des terres du Nord. La grotte qui abritait la meute de Shara se trouvait dans une clairière isolée, au cœur de l'immense écrin de verdure. C'était le royaume des bêtes sauvages, de la nature préservée, et nulle créature bipède ne s'y aventurait jamais. Même pour chasser, car on disait cette forêt maudite…

Très tôt, Shara avait appris à ses petits, ainsi qu'à Luna, que le territoire de la meute était strictement délimité et qu'il était interdit d'en franchir les frontières. Seuls les adultes avait le privilège de pouvoir s'aventurer plus loin, à la recherche de proies plus intéressantes. Luna n'avait donc jamais eu l'occasion de s'éloigner de la tanière. Heureusement, le marais de Mornuyn et la cabane du Marécageux faisaient partie du territoire de Shara.

Toutefois, Elbion courait vite et il avait, depuis longtemps, franchi les limites du territoire de la meute. Luna se fit la réflexion qu'elle n'était jamais allé aussi loin. Elle aurait pu en être effrayée, mais en compagnie de son frère, elle se sentait en sécurité.

Une horrible pensée l'assaillit soudain…

Et si Shara avait déjà choisi Elbion comme compagnon? Et si son frère agissait sur ordre de la dominante en l'emmenant hors des limites de la meute, loin… très loin… pour qu'elle se perde et ne revienne jamais plus à la grotte? Voilà pourquoi Shara l'avait regardée avec méfiance, comme une rivale… Comme si, depuis l'attaque qui avait coûté la vie à

Zek, la vieille louve n'avait plus confiance en Luna et cherchait à l'éloigner de sa famille! Se pouvait-il qu'il y ait un lien entre la mort du loup albinos et cette balade impromptue?

Agrippée à la chaude fourrure de son frère, Luna ferma les yeux, espérant que jamais Elbion n'aurait le courage de l'abandonner.

Lorsque le loup s'arrêta enfin au pied d'un gros rocher, Luna descendit de sa monture et regarda autour d'elle.

C'est alors qu'elle le vit.

Le cadavre de Zek.

La fourrure blanche du grand mâle dominant était maculée de sang. Une large plaie écarlate déchirait son abdomen en une mortelle blessure.

Terrifiée, Luna frissonna en silence. Des larmes inondèrent ses joues.

Pauvre Zek. Jamais plus elle ne lui offrirait de mûres. Le grand loup n'était pas vraiment démonstratif ni très affectueux, mais il était juste. Comme chacun des autres membres du clan, Luna avait appris à l'apprécier et à le respecter. Sa mort était une grosse perte pour la meute.

L'elfe s'agenouilla auprès de la dépouille. Elle comprenait désormais pourquoi Elbion l'avait conduite ici. Il voulait qu'elle puisse adresser un dernier hommage au mâle dominant.

Qu'elle avait été stupide de penser que Shara voulait l'éloigner de la meute!

Elbion, assis derrière elle, respecta son recueillement, comme une muette prière.

Lorsque Luna se releva enfin, les yeux rougis, le loup l'imita et vint se frotter contre elle.

— Merci, Elbion! murmura Luna. Merci de m'avoir amenée là.

De nouveau, le loup l'attrapa par la manche et l'entraîna de force vers un buisson touffu.

— Eh! Mais qu'est-ce qui te pr…

Le dernier mot mourut sur ses lèvres.

Là, à peine visible dans l'herbe humide, il y avait un objet étincelant. Luna se pencha pour l'examiner de plus près. Il s'agissait d'une longue lame métallique au bout recourbé; elle était recouverte de sang. Voilà sans doute ce qui avait eu raison de la force de Zek. Mais ce n'était pas tout…

Le cœur de Luna s'arrêta de battre quelques secondes. Encore agrippée au manche de cette arme, il y avait une main.

La main du meurtrier de Zek!

4

Darkhan, l'épée en avant, se rua dans l'impasse en poussant un cri de rage. D'un geste rapide, il transperça la cuirasse du premier urbam avant que celui-ci ne comprenne ce qui lui arrivait. Son corps émit un immonde gargouillis avant de s'effondrer dans une mare de sang.

L'autre créature lâcha la chevelure de sa victime et recula pour lancer un sort en direction de Darkhan. Entre ses mains pustuleuses jaillit une vive lumière destinée à aveugler le fou qui avait trucidé son compagnon. Mais, contrairement aux autres drows, Darkhan était habitué à la lumière du jour et le sort n'eut aucun effet sur ses yeux. Il prit alors l'avantage en bondissant vers l'urbam interloqué.

Incapable d'éprouver la moindre pitié pour une pareille anomalie de la nature, Darkhan trancha son cou atrophié d'un coup d'épée précis et efficace. La tête roula sur plusieurs mètres avant de s'arrêter dans une flaque nauséabonde.

Le guerrier essuya sa lame rougie sur les vêtements crasseux de la créature avant de la rengainer. Puis, il chercha du regard la jeune humaine à qui il avait sauvé la vie. Il la trouva recroquevillée contre un mur, prostrée. Sa tunique et ses cheveux emmêlés étaient maculés de sang. C'était probablement une esclave que ces brutes avaient agressée avant de l'entraîner ici, pour l'achever loin des regards indiscrets.

Lentement, Darkhan s'approcha d'elle et s'agenouilla pour lui parler :

— Ça va aller, maintenant, ces monstres ne te feront plus aucun mal... Tu sembles blessée, veux-tu que je te ramène chez toi?

La femme avait le visage émacié et semblait parfaitement incapable de réagir. Mais en entendant la voix du guerrier, elle leva vers lui des yeux agrandis par l'effroi. Sa bouche articula péniblement un mot que Darkhan ne comprit qu'à moitié.

— Fuis? répéta-t-il. Tu t'es enfuie de chez toi, c'est ça?

Darkhan n'eut pas le temps d'entendre la réponse : un coup de sabre s'abattit sur son épaule droite. Le choc fut douloureux, mais les solides mailles de son armure ne laissèrent pas la lame s'enfoncer dans sa chair. Darkhan bascula en arrière et, constatant qu'un second coup plus violent suivait, il roula sur lui-même et se releva prestement quelques mètres plus loin. Son épée jaillit pour parer le coup avec agilité.

Son nouvel adversaire, un drow armé d'une superbe armure en *adamantite* et d'un sabre luisant d'une étrange lueur verte semblait bien plus redoutable que les deux urbams réunis.

Darkhan jeta un coup d'œil à l'esclave terrorisée avant de foncer sur le guerrier drow.

Aucune parole ne fut prononcée. Seul les grincements métalliques de leurs armes résonnèrent dans l'impasse déserte. Les deux combattants possédaient une technique remarquable. Ils enchaînaient les coups et les bottes avec une vitesse surnaturelle, comme s'ils parvenaient à anticiper les coups de leur adversaire. Leurs gestes étaient d'une inquiétante précision et il s'en fallait de peu que la mort les emporte chaque seconde. Leurs lames s'entrechoquaient dans une danse de plus en plus dangereuse.

Darkhan comprit qu'il devrait ruser pour venir à bout du drow. S'il mourait maintenant, personne ne pourrait accomplir sa mission à sa place et les elfes argentés seraient définitivement perdus. Darkhan cessa alors d'attaquer, se contentant de parer avec moins de vigueur, puis il recula en feignant de boiter. L'autre eut un sourire mauvais. Croyant enfin avoir le dessus, le drow profita de l'épuisement de son adversaire pour baisser sa propre garde. Haletant, il s'approcha, prêt à porter le coup de grâce, mais Darkhan, plus souple qu'un chat, esquiva la lame adverse et s'apprêta à plonger son épée dans le cœur de l'elfe noir.

— Nooooon! hurla soudain la jeune femme blessée.

Ce cri d'alerte détourna l'attention de Darkhan une demi-seconde. Mais ce fut suffisant pour que le drow dévie l'épée d'un coup de sabre particulièrement efficace et reprenne l'avantage. Tout en maudissant la femme qui avait fait échouer sa ruse, Darkhan esquiva le coup mortel en se jetant sur le côté. Il évita de justesse d'être décapité.

Fou de rage, il s'élança sur son adversaire en lâchant un hurlement sauvage. Ce cri de haine surprit tant le drow qu'il para le coup avec une seconde de retard. Fatale seconde qui lui coûta la vie.

L'épée de Darkhan, une fois lavée de toute trace de sang, regagna son fourreau.

Toute la rage du guerrier était retombée d'un coup. C'était la première fois qu'il tuait un elfe noir. Il n'était pas fier de cet acte et seul le soulagement d'être encore en vie lui permit de jeter un dernier regard au corps inerte de son adversaire sans rougir de honte.

Avant de s'en aller, Darkhan se tourna vers la femme, toujours avachie le long du mur pisseux, se demandant pourquoi elle avait hurlé. Soudain, une voix sensuelle dans son dos l'interpella :

— Bravo, jeune mâle! Quelle technique! Quelle rapidité! Voilà longtemps que je n'avais assisté à un tel spectacle!

Darkhan fit volte-face et aperçut une femme drow qui lui faisait face. Brune et élancée, elle portait une robe bleu vif très échancrée, et cambrait légèrement les hanches dans une pose suggestive. Elle le regardait en souriant, sublime et étrangement calme.

Le guerrier, surpris de la présence d'une aussi belle créature dans un quartier aussi sordide, déglutit avec difficulté.

— Jusqu'à présent, reprit-elle, personne n'était jamais sorti vainqueur d'un duel avec N'hargol! Il était mon champion, mais tu viens de prendre sa place. Félicitations!

Darkhan renifla avec dédain.

— Désolé, mais je ne prendrai la place de personne. Je ne suis pas un *champion*! Votre homme m'a attaqué alors que je portais secours à cette pauvre fille. Je n'ai fait que me défendre!

Un rire cristallin s'échappa des lèvres carmin de la femme. Elle remua la tête et sa lourde chevelure d'ébène ondula doucement.

— Oh, Yema est encore vivante? Bravo, tu as été encore plus performant que je ne le croyais. Mais sache que sa vie n'a aucune espèce d'importance.

La mâchoire de Darkhan se crispa. Aussi sublime soit-elle, cette drow arrogante commençait à l'échauffer.

— À mes yeux, chaque vie compte, même celle d'une esclave! cracha le guerrier. J'ai tué les urbams et votre champion parce qu'ils étaient une menace, pas pour le plaisir ni pour la performance!

Le beau visage de la drow se fendit d'un sourire sans joie.

— Que tu es naïf! C'est extrêmement rare chez un guerrier de ta valeur! Tu n'as pas encore compris que tu étais tombé dans un... piège!

— Un *piège*? répéta Darkhan en serrant la garde de son épée, prêt à la dégainer de nouveau.

— Oui! Cette humaine n'était rien de plus qu'un appât. Tu es venu à bout de mes deux serviteurs avec une telle facilité que je t'ai envoyé directement N'hargol. Je voulais voir ce que tu donnerais face à mon meilleur guerrier.

Darkhan repensa au mot que lui avait soufflé la jeune esclave et qu'il n'avait pas compris : « Fuis! » Elle lui disait de fuir, *à lui*, et non qu'elle avait fui! De même qu'elle avait dû hurler pour détourner l'attention du drow...

Une froide colère l'envahit d'un coup :

— Depuis le début vous nous observiez! s'écria-t-il, furieux. Et si je n'avais pas porté secours à cette humaine, vous l'auriez laissée entre les mains de vos abominables serviteurs?

— Évidemment! confirma la femme. Il faut bien leur offrir quelques petits plaisirs si on veut s'assurer leur fidélité. Et puis, je te l'ai dit, Yema n'est qu'une esclave, sa vie ne compte pas...

— Vous l'auriez sacrifiée? fit Darkhan, dégoûté, en sortant son épée de son fourreau.

— Parfaitement! Et je vais te le prouver immédiatement!

Avant même que Darkhan n'ait pu faire le moindre geste en direction de Yema, toujours prostrée, la sorcière projeta une boule de feu qui percuta l'esclave de plein fouet. La pauvre fille mourut sans émettre un râle.

Autant de lâcheté et de cruauté révoltèrent le guerrier. Darkhan ne s'était jamais battu contre une femme, mais il y a un début à tout. Fermement décidé à faire taire cette drow démoniaque, Darkhan bondit vers elle, son épée exécutant déjà une danse meurtrière.

Mais une fléchette empoisonnée se planta soudain dans son cou.

Darkhan perdit aussitôt connaissance et s'écroula au fond de l'impasse.

5

À la vue du moignon ensanglanté, Luna étouffa un cri d'horreur. Ce n'était donc pas un animal sauvage qui avait tué Zek, le chef de meute, mais un chasseur!

Elbion aboya soudain dans son dos. L'adolescente se retourna. Alors seulement elle aperçut le corps étendu dans les herbes hautes.

Les jambes tremblantes, Luna s'approcha du cadavre, redoutant ce qu'elle allait découvrir.

Le meurtrier de Zek gisait face contre terre. Il s'agissait apparemment d'un guerrier, dont le casque métallique et l'épaisse cuirasse hérissée de pics l'avait un moment protégé contre les violents assauts de la meute. Pas suffisamment, toutefois, pour survivre aux puissantes mâchoires de Shara, d'Elbion et des autres. Par endroits, les redoutables crocs avaient transpercé et arraché le cuir pour mettre à nu la peau du combattant. À la place de la main droite, un moignon déchiqueté bourdonnait d'insectes nécrophages.

L'adolescente contourna le corps ensanglanté et, à l'aide d'un solide bâton, elle le retourna en réprimant une moue de dégoût. Après quoi, elle s'arma de courage et saisit le casque à deux mains; elle voulait l'ôter afin de découvrir le visage de l'assassin.

Luna recula d'un coup en hoquetant de surprise.

Ce n'était pas un homme, mais *une femme*!

Et *une elfe*, de surcroît!

Luna et cette inconnue avaient les mêmes cheveux couleur de lune, les mêmes oreilles pointues, la même beauté éthérée. La seule différence, c'était que la peau de cette guerrière était noire. Noire comme la nuit…

Luna comprit alors pourquoi Shara s'était montrée méfiante envers elle. Zek était mort à cause d'une elfe aux cheveux argentés et peut-être que la louve alpha considérait désormais sa fille adoptive comme une menace potentielle pour sa famille.

Anéantie, la gamine tomba à genoux auprès du corps sans vie. Elbion, intriguée par le comportement de Luna, s'approcha de son visage et le renifla bruyamment. Il frotta son museau contre les joues humides de sa sœur, comme pour en sécher les larmes.

La petite releva la tête et prit une grande inspiration.

— Elbion, emmène-moi chez le Marécageux! Il faut que je lui parle de… de la mort de Zek et aussi de la présence de cette… intruse dans notre forêt. D'ailleurs, je ferais bien de lui ramener une preuve si je veux qu'il me croie, ajouta-t-elle pour elle-même.

Luna songea à emporter le sabre, mais il était hors de question qu'elle touche à cette main répugnante. Elle observa alors le cadavre mutilé en évitant de s'attarder sur les plaies écarlates. Soudain, elle aperçut, autour du cou de la guerrière, une chaîne argentée à laquelle pendait un étrange médaillon.

Luna l'arracha en tirant d'un coup sec et examina sa trouvaille. En métal foncé, orné d'une pierre noire en son centre, le pendentif représentait une créature monstrueuse, une sorte d'araignée avec une tête d'elfe noire. Luna sentit un étrange malaise l'envahir. Une force mauvaise émanait de ce talisman. Comme pour chasser les ondes négatives, elle dissimula l'objet maléfique dans la poche de sa pelisse et enfourcha Elbion.

Désormais, Luna comprenait mieux pourquoi son frère l'avait conduite jusqu'ici. Ce n'était pas seulement pour qu'elle dise adieu au mâle alpha. C'était aussi pour qu'elle élucide le mystère de sa mort ainsi que la présence de cette elfe noire au fin fond de Wiêryn.

Le Marécageux saurait l'aider. Luna ne l'avait jamais entendu mentionner l'existence d'une telle race d'elfes noirs, mais le savoir de son vieux mentor semblait infini et l'adolescente avait l'intuition que le Marécageux était le gardien de nombreux secrets.

Après plus d'une heure de course, Elbion parvint aux rivages du marais de Mornuyn. Les vapeurs nauséabondes envahirent aussitôt les narines de Luna, qui se boucha le nez. Comment faisait le vieil ermite pour respirer cet air toxique à longueur de journée?

— Le Marécageux et moi, il faut qu'on parle, Elbion. Alors, tu peux aller chasser si le cœur t'en dit... mais ne t'éloigne pas trop, compris?

Luna frotta son front contre le museau humide du canidé en guise d'au revoir et s'aventura dans le marais puant. Enveloppée par les nappes de brouillard, elle suivit le sentier tortueux en évitant soigneusement les flaques de boue verdâtre. Après quinze minutes de marche, Luna arriva au bord de l'étang gris. Elle se dirigea vers la petite passerelle en bois et s'engagea sans hésiter sur les planches vermoulues. Il fallait vraiment savoir que quelqu'un habitait au bout de ce chemin sur pilotis pour avoir envie de s'y aventurer. Le Marécageux, comme son nom l'indiquait, vivait en effet au beau milieu du marécage, sur l'unique île de l'étang. Parfois, les eaux boueuses produisaient d'immondes borborygmes et des chapelets de bulles explosaient à la surface, répandant dans l'air une odeur pestilentielle.

L'adolescente pressa le pas tout en restant vigilante. Les planches de la passerelle, rongées par les vapeurs toxiques et l'humidité malsaine, étaient extrêmement glissantes. Au loin, une lumière, fragile luciole égarée dans l'épaisse brume, lui indiqua que le Marécageux était bien chez lui.

La cabane du vieil elfe avait été creusée au cœur même d'un marronnier géant qui résistait vaillamment à la putréfaction ambiante. Luna se planta devant la porte et frappa trois coups, pressée d'entrer. Un juron lui répondit et elle se précipita à l'intérieur.

Le contraste était saisissant.

Un grand feu de cheminée, assorti de quatre ou cinq bougies, offrait chaleur et lumière à la demeure de l'ermite. Une délicieuse odeur de soupe flottait dans l'air, chassant les derniers effluves putrides des narines de Luna. Le Marécageux, une louche dans une main, un bol dans l'autre, se figea en l'apercevant. La peau cuivrée de son visage buriné se plissa sous un sourire radieux.

— Nom d'un marais puant, voici ma jolie Luna! s'écria le vieil ermite, visiblement ravi de cette visite imprévue. Tu tombes bien, marmotine! La cueillette a été bonne aujourd'hui. J'ai déniché quelques navets sauvages, et comme il me restait des carottes et des panais, j'ai fait de la soupe. Ventremou, ça sent bon! C'est la sauge que j'ai ajoutée... Ça fait toute la différence, non?

Luna se contenta d'esquisser un sourire contrit. Le Marécageux était un incroyable bavard! Il était capable de papoter des heures durant. Il n'avait rien d'un ermite taciturne et renfrogné.

— Dis-moi, c'est l'odeur qui t'a attirée jusqu'ici, n'est-ce pas, marmousette? demanda-t-il en remplissant le bol en bois de soupe bouillante.

Luna faillit lui dire qu'elle ne risquait pas de sentir sa soupe dans l'océan de puanteur qui régnait dans ses marais, mais elle avait d'autres préoccupations.

— Au fait, comment va la meute? s'enquit-il de nouveau, avant que Luna puisse lui expliquer la raison de sa présence. Les louveteaux ont dû grandir, non? Combien Shara en a-t-elle eus cette année, déjà? Ah oui, cinq, tu me l'as déjà dit, je crois... Tiens, assieds-toi là et mange un peu! Tu es toute maigrichonne, ma crapouillote! Moi, à ton âge, j'étais déjà bien plus grand et plus solide... Et Elbion? Tu l'as envoyé chasser, hein? La prochaine fois, dis-lui de me ramener un lièvre ou une perdrix... Bigredur, ça fait longtemps que je n'en ai pas mangé! Avec des fèves, ça me ferait un de ces ragoûts et tu...

— Ça suffit! le coupa Luna, exaspérée par le babillage inutile de son mentor. J'ai de mauvaises nouvelles à t'annoncer, alors pour une fois, tais-toi et écoute-moi!

Le vieux resta bouche bée et ouvrit de grands yeux surpris. L'adolescente, d'habitude si respectueuse et polie, ne lui avait jamais parlé sur ce ton. Ce qu'elle avait à lui dire devait être extrêmement grave pour qu'elle le rabroue de la sorte!

— Zek a été attaqué ce matin, commença Luna. Il est mort.

La nouvelle tomba comme un couperet. Le visage ridé du vieil elfe se figea dans un masque d'insondable tristesse. Il avait mille questions sur le bord des lèvres, mais, respectant le chagrin de sa petite protégée, il n'osa en poser aucune. Après un moment de silence, Luna reprit :

— Le plus grave, c'est qu'il n'a pas été victime d'un prédateur, comme on pourrait se l'imaginer. Il a été tué... par une elfe. Une elfe à la peau noire!

Le Marécageux sursauta et son teint cuivré perdit d'un coup ses chaudes couleurs. Une vague de panique le submergea.

— Par le Grand Putride! Une elfe noire? répéta-t-il nerveusement d'une voix faible. Tu en es certaine, pistounette? Tu as peut-être confondu, il faisait sombre et tu auras cru que sa peau était...

— Non! Je suis sûre de moi, bigrevert! Tiens, regarde! tonna Luna en sortant de sa poche le talisman en forme d'araignée.

En apercevant le médaillon, l'ermite suffoqua. Pris d'un vertige, il se raccrocha au dossier de sa chaise et se rassit péniblement. Il tendit la main vers l'objet et l'arracha presque des mains de la jeune elfe.

— Sainte Putréfaction! s'exclama-t-il, horrifié. C'est... c'est Lloth! La terrible déesse Araignée des drows!

À ce moment précis, le sang de Luna se glaça.

Elle devina que rien ne serait jamais plus comme avant.

Tout en grattant son crâne chauve, le Marécageux reprit :

— La femme que tu as vue était sûrement une guerrière drow, c'est l'autre nom des elfes noirs. Peut-être même une prêtresse de Lloth, reprit l'ermite en chuchotant presque, comme s'il craignait qu'on l'entende. Elles seules vénèrent à ce point la déesse pour oser en porter le symbole. La question est, par le Gland Sacré, que faisait-elle ici?

— C'est justement pour ça que je suis venue te voir!

Luna fixa intensément le Marécageux et il comprit qu'elle ne repartirait pas avant d'avoir obtenu des réponses. L'adolescente était intelligente et très intuitive – peut-être avait-elle acquis cette qualité auprès de sa famille adoptive – et le vieil elfe ne pourrait plus lui cacher la vérité bien longtemps. Peut-être le moment était-il d'ailleurs venu; peut-être était-il temps que Luna en sache un peu plus sur ses origines...

— Ma petite Luna, murmura l'ermite en planta ses yeux verts dans ceux de sa protégée, il y a des choses que je ne t'ai jamais dites, je te trouvais sans doute trop jeune pour les entendre. J'ignore si la mort de Zek a un rapport avec ce que je vais t'apprendre, mais je pense que tu dois savoir, marmotine…

Il marqua une courte pause, pendant laquelle Luna retint son souffle.

— Il y a douze ans de cela – cornedrouille, je m'en souviens comme si c'était hier! –, ma sœur que je croyais ne jamais revoir est venue me trouver. Cela faisait des lustres que je n'avais pas eu de ses nouvelles. La bougresse nous avait quittés pour aller vivre à Laltharils, la cité des elfes de lune. Je n'ai jamais compris pourquoi... Lorsque je l'ai revue ici, dans mon marais, j'ai eu du mal à y croire, fichtre, fichtre! C'était une chaude nuit d'été, la pauvre Viurna était très affaiblie, mais surtout, elle n'était pas seule... Elle avait un cadeau pour moi. Et ce cadeau, c'était toi, marmousette!

— Moi? s'étonna Luna en écarquillant les yeux. Mais je croyais que tu m'avais *trouvée*!

— Si on veut, rétorqua l'autre, embarrassé. En fait, c'est Viurna qui t'a déposée chez moi. Tu étais si petite, si délicate, si... blanche. Une frimousse rondelette comme la lune!

Il marqua une pause, les yeux remplis de nostalgie.

— Viurna avait très peur, elle semblait même terrorisée. Elle m'a demandé de te cacher, de te protéger, aussi. Elle m'a dit qu'un jour, ta mère, une elfe argentée de noble ascendance, viendrait te chercher. Puis elle est repartie et je n'ai plus jamais eu de ses nouvelles.

— Elle connaissait ma *vraie* mère? comprit l'adolescente avec stupeur.

— Je suppose que oui, mais elle n'en a presque pas parlé! Elle m'a juste dit que tu étais en danger de mort et que je devais veiller sur toi.

— En *danger de mort*? répéta l'elfe, perplexe. Nom d'un chêne tordu! N'a-t-elle pas un peu exagéré? Qui pourrait vouloir la mort d'un bébé?

— Les prêtresses de Lloth, sacrevert!

— Comme celle qui a tué Zek? déduisit Luna. Mais pourquoi?

Le Marécageux poussa sa chaise pour venir s'installer à côté d'elle. Il y avait tant de choses qu'elle ignorait. Luna était si naïve, si pure aussi.

— Écoute, pistounette, la seule chose que Viurna m'a révélée, c'est qu'elle venait de Rhasgarrok, la cité souterraine des drows, où elle était esclave, tout comme ta mère. C'est pour éviter que tu sois sacrifiée que ta mère lui avait demandé de s'enfuir avec toi le plus loin possible. Viurna est parvenue à s'échapper et à venir jusqu'ici. Sainte Putréfaction, merci pour ce miracle!

— Pour éviter que je sois *sacrifiée*? grimaça Luna.

— Oui. Il faut que tu saches que les drows vénèrent la déesse Lloth en lui offrant de sanglants sacrifices! Humains, elfes, gobelins, halfelins et même des elfes noirs qui auraient refusé de leur obéir... Tout est bon pour honorer la déesse Araignée. Alors, un bébé de lune aussi joli que toi! Cornedrouille! Quelle offrande de choix... Par ailleurs, ceux dont les matrones ne veulent pas finissent leurs jours comme esclaves, et finalement, je ne sais pas ce qui est le pire!

Les épaules de Luna s'affaissèrent d'un coup.

— Tu crois que la guerrière qui a abattu Zek était venue pour me... pour me tuer? finit-elle par demander franchement.

Le Marécageux parut soudain inquiet. Il frotta nerveusement son menton d'une main sans quitter des yeux l'horrible médaillon qu'il tenait dans l'autre.

— Par les marais puants, je n'en sais rien. Je ne vois pas comment les prêtresses drows auraient pu apprendre que tu te cachais ici. Mais la présence de cette elfe noire au cœur de Wiëryn n'est pas une bonne nouvelle, ni une coïncidence, bigrenon! Et cela me semble même de très mauvais augure. Alors, voilà ce que nous allons faire, marmousette... Tu vas retourner au plus vite à la grotte et ne plus la quitter. Tant qu'Elbion veillera sur toi, tu seras en sécurité. Pendant ce temps, je vais mener mon enquête. Et dans six jours, au dernier quartier de lune, tu reviendras me voir et je te dirai ce que j'ai découvert. C'est compris?

Luna hocha la tête en silence.

Jusqu'à présent, elle ne s'était jamais vraiment posé de questions sur ses véritables parents, ni sur ses origines. Ça ne l'intéressait pas. Elle vivait en totale harmonie avec les loups. Or, pour la première fois, elle prenait conscience que la meute n'était pas son unique famille et qu'un jour, peut-être, elle devrait quitter la tanière pour retrouver les siens.

Mais serait-elle capable d'abandonner Elbion, son frère de lait?

6

Darkhan, à moitié endormi, se retourna sur sa couche. Une vive douleur le réveilla soudain et, d'une main hésitante, il palpa son cou meurtri. Sous ses doigts, il sentit une boule dure et douloureuse. Sa peau était chaude et gonflée comme après une piqûre de guêpe...

Une *guêpe*? Non! Une fléchette remplie d'un puissant sédatif, plutôt!

Sa rencontre avec la sorcière drow lui revint en mémoire avec la violence d'une gifle. Darkhan se releva d'un bond, pris de panique. Il n'avait plus ni armure ni épée! Un coup d'œil circulaire lui suffit à comprendre qu'il était prisonnier. Une banquette crasseuse et une torche à demi consumée composaient l'unique mobilier de cette cellule austère. Dans un coin, un croûton de pain moisi et une cruche en terre. Au-dessus de sa tête, une grille qui semblait le narguer à cinq mètres de hauteur.

Darkhan, furieux contre lui et contre cette femme qui l'avait piégé, se rua sur la porte renforcée de clous dans l'espoir qu'elle soit ouverte. Elle était bien sûr solidement verrouillée. Le guerrier cogna alors de toutes ses forces en hurlant qu'on le libère sur-le-champ.

Mais personne ne vint lui ouvrir.

Darkhan enrageait. Il s'était laissé berner par la mise en scène de cette sorcière, aussi belle que cruelle : oser sacrifier une esclave pour mettre au point un piège. Un piège diabolique, apparemment destiné à le tester, à vérifier sa bravoure et sa valeur… Mais dans quel but? Et pourquoi se trouvait-il maintenant en prison?

Exaspéré, Darkhan saisit la cruche à moitié vide et la projeta contre un mur. Elle explosa en même temps que le cerveau du guerrier explosait de fureur. Il ne pouvait pas rester enfermé ici, c'était impossible! Il avait une mission à accomplir et s'il échouait, les elfes argentés de Laltharils n'auraient plus d'autre chance de se débarrasser du *Néphilim* qui les tuait à petit feu…

Darkhan leva les yeux et regarda l'ouverture du plafond avec envie. Mais elle était bien trop haute et solidement grillagée pour qu'il espère s'enfuir par là. Par dépit et pour libérer sa rage, le guerrier se remit à hurler et à tambouriner contre cette porte désespérément close et muette.

Lorsque ses doigts furent en sang, Darkhan abandonna sa veine entreprise et tenta de se raisonner. Se rompre les phalanges à force de frapper sur cette porte ne lui apporterait pas la liberté. Il y aurait bien un moment où quelqu'un viendrait lui expliquer ce qu'il faisait ici.

Alors, il agirait.

Combien de temps attendit-il avant que les gonds rouillés de la porte se mettent à grincer? Darkhan n'en avait aucune idée, mais son ventre vide se tordait de faim depuis déjà plusieurs heures. Prêt à se battre, même à mains nues, le guerrier se leva et s'apprêta à bondir sur son geôlier.

Quelle ne fut pas sa surprise de découvrir que *sa geôlière* n'était autre que la redoutable drow qui l'avait piégé!

— Bonjour, mon champion! le salua-t-elle en souriant. Alors, tu as fini de gémir comme un veau qu'on égorge? Ce comportement n'est pas digne d'un héros!

Insensible à ses sarcasmes, Darkhan voulut s'élancer sur elle, mais son corps refusa de lui obéir. Il était entièrement paralysé!

La superbe drow éclata de rire :

— Tu croyais peut-être que j'allais te laisser me sauter dessus! Si encore tu brûlais de désir pour moi, pourquoi pas... Mais c'est de la haine et de la colère que je lis dans tes yeux, alors pas question de te laisser la moindre parcelle de liberté. Tu auras juste le droit de me répondre. Et tu as intérêt à te montrer coopératif si tu ne veux pas moisir ici trop longtemps. Tout d'abord, dis-moi comment tu t'appelles?

Darkhan sentit son crâne se libérer de l'étau qui le figeait.

— Je m'appelle Darkhan! lâcha-t-il en y mettant tout le mépris dont il était capable.

— Darkhan? répéta-t-elle, surprise. Jamais entendu parler. À quelle maison appartiens-tu?

— Aucune! cracha-t-il, préférant taire le nom de son père.

L'exil étant considéré comme un crime et puni de mort, inutile de crier sur tous les toits qu'il était le fils d'un criminel.

— Soit, Darkhan Sans Maison! ironisa la sorcière en plissant les yeux, consciente qu'il lui cachait quelque chose.

— Et toi, qui es-tu? lui demanda aussitôt le guerrier, en choisissant délibérément de la tutoyer sans se laisser intimider par sa supériorité pleine de morgue. Et peux-tu me dire par la même occasion ce que je fiche ici?

La femme drow, encore plus belle à la lumière de la torche qu'en pleine obscurité, s'approcha de lui et planta ses iris rouges dans les siens tout en palpant ses muscles sans aucune retenue. Ce contact, qui aurait pu lui sembler agréable, révulsa le jeune guerrier. Il faillit avoir la nausée en se rappelant que de ces mains avait jailli la boule de feu qui avait carbonisé la pauvre humaine.

— Je m'appelle Oloraé et je suis ta nouvelle maîtresse.

— Je ne suis pas un esclave! s'offusqua Darkhan en la foudroyant du regard.

— Un esclave? ricana-t-elle. Je n'ai jamais dit cela…

Oloraé, tout en continuant à caresser le corps tétanisé de son prisonnier, murmura :

— Je dirige une arène privée dans laquelle j'organise des combats de gladiateurs. Ces tournois, dont la réputation n'est plus à faire, sont extrêmement prisés par la noblesse drow. Si mon arène a autant de succès, c'est parce que les duels qui s'y déroulent sont certainement les plus violents et les plus intenses de tout Rhasgarrok. Chez moi, pas de pitié, pas de quartier, pas de trucage et surtout, pas de combattants au rabais! Je n'offre que de la qualité à mes spectateurs! Humains, géants, orques, nains, elfes parfois... Jamais d'urbam, comme certains de mes concurrents qui cèdent à la facilité. À partir d'aujourd'hui, ce sera toi mon gladiateur fétiche! Mon nouveau champion! Des foules de drows vont venir t'admirer et t'acclamer. D'ici peu, tu deviendras la coqueluche des prêtresses et nous allons empocher des tonnes d'or. Je suis certaine que nous formerons une équipe formidable, tous les deux...

La tête de Darkhan se mit à tourner. Un goût amer de bile envahit sa bouche.

Cette drow était folle à lier! Il était hors de question qu'il devienne son gladiateur et qu'il se batte pour la gloire et pour l'argent. Il n'avait jamais pris de plaisir à tuer et ce n'était pas aujourd'hui que les choses allaient changer. Cependant, il soupçonnait cette Oloraé d'être suffisamment dangereuse et puissante pour le tuer sur-le-champ s'il s'opposait ouvertement à ses projets. Darkhan devrait faire preuve de patience et de ruse pour déjouer la vigilance de la sorcière.

— Ta proposition est... alléchante! mentit Darkhan. Mais tu aurais pu m'en parler franchement plutôt que de me piéger. Inutile de sacrifier une esclave et ton meilleur guerrier pour m'embaucher!

— Si tu ne l'avais pas tué en duel, il t'aurait planté son sabre entre les deux yeux durant ton sommeil! Il n'aurait pas supporté que tu brigues sa place. Alors, remercie-moi plutôt que de me faire passer pour une manipulatrice sans scrupule! Grâce à moi, tu seras bientôt riche et, tu sais, je peux me montrer très… reconnaissante avec mes meilleures recrues.

La drow se passa lentement la langue sur ses lèvres rouges en braquant ses prunelles de braise dans celles de son prisonnier. Ses sous-entendus étaient on ne peut plus clairs.

— Écoute, fit Darkhan, je suis disposé à collaborer, mais si je me bats pour toi, je veux récupérer mon armure et mon épée. Ensuite, j'accepte de combattre deux fois, après quoi, si je suis encore en vie, tu me rendras ma liberté. J'ai des affaires urgentes à régler et cela ne peut pas attendre plus longtemps…

La drow se planta devant lui. Elle ne souriait plus et semblait réfléchir à sa proposition.

— En contrepartie, ajouta le guerrier avant qu'elle ne rende son verdict, je te laisse tout l'argent que tu gagneras en pariant sur moi. Je ne veux rien. Seule compte ma liberté. Marché conclu?

Un sourire illumina alors le visage de la sorcière.

— Je n'ai pas l'habitude de négocier avec mes gladiateurs, c'est même la première fois... Mais ton offre est alléchante. Je te propose *trois* combats et si tu gagnes, je te rendrai ta liberté, en échange de laquelle j'empocherai tous les gains! Marché conclu! fit-elle en lui donnant une chiquenaude sur le menton.

Oloraé se planta devant lui, les poings sur les hanches. Une mèche d'ébène glissa négligemment sur sa joue. Elle sourit et reprit :

— Ton premier combat aura lieu demain soir. Tu affronteras Mozorbock, un barbare venu des terres Glaciales. Il est puissant mais désespérément idiot. Tous ses imbéciles d'admirateurs sont persuadés que ce géant est invincible parce qu'il a défoncé le crâne de ses cinq derniers adversaires…

Oloraé éclata de rire. Malgré toute l'horreur qu'elle lui inspirait, Darkhan ne put s'empêcher de la trouver vraiment très belle. La sorcière drow approcha son visage de celui du guerrier pour lui murmurer à l'oreille :

— Tout à l'heure, un garde viendra t'apporter de quoi te nourrir. Ne fais pas le difficile et mange à t'en faire éclater la panse. Tu devras être en forme pour affronter Mozorbock. Je vais parier beaucoup d'argent sur toi, et il serait dommage que tu meures dès le premier duel, n'est-ce pas? À demain soir, champion!

Oloraé déposa un baiser humide sur la joue anthracite de son prisonnier et s'éclipsa en claquant la porte derrière elle. D'un coup, le sort de paralysie se dissipa et Darkhan retrouva toute sa mobilité. Il essuya aussitôt la trace des lèvres de la drow avec une grimace de mépris.

7

Lorsque Luna quitta la maison du Marécageux, un profond malaise s'empara d'elle. L'odeur putride des marais l'agressa de nouveau violemment, lui donnant la nausée. En avançant avec prudence sur la passerelle branlante, les bouillonnements des eaux saumâtres lui parurent soudain inquiétants, presque menaçants. Des cris suraigus provenant de recoins brumeux la firent sursauter à plusieurs reprises. Luna, affolée, se mit à courir sur les planches vermoulues et, arrivée à la lisière de la forêt, elle s'empressa de siffler Elbion.

Luna connaissait cet endroit par cœur et n'avait jamais éprouvé la moindre peur à s'y aventurer seule. Pourtant, depuis qu'elle savait qu'une drow avait pénétré dans la forêt de Wiêryn, peut-être pour la tuer, l'adolescente ne se sentait plus du tout en sécurité.

Heureusement, Elbion apparut sans tarder. Il ne chassait jamais bien loin de sa sœur. Luna lui sauta au cou avant de grimper sur son dos. Le grand loup blanc comprit de lui-même qu'il était temps de retourner à la grotte. Luna ferma les yeux et se laissa transporter.

Son esprit bouillonnait de mille questions sans réponse. Qui était sa mère et pourquoi l'avait-elle abandonnée? Pour la protéger, comme l'avait suggéré l'ermite? Sa mère était-elle encore en vie aujourd'hui? Et si oui, où vivait-elle? Toujours à Rhasgarrok, la cité des elfes noirs?

Comment imaginer une ville souterraine où les adoratrices d'une déesse maléfique faisaient régner la terreur, où s'entassaient des milliers d'esclaves et où l'on sacrifiait sans remords des êtres vivants – et même des bébés! – pour une divinité avide de sang.

Luna frémit d'horreur. Elle se fit la remarque que les loups, qu'on disait sauvages, se comportaient parfois avec plus de sagesse et d'humanité que les êtres bipèdes. Pour la meute, la naissance des louveteaux était un évènement attendu et jamais aucun loup n'aurait osé leur faire le moindre mal. Tous les adultes s'occupaient d'ailleurs des petits du couple alpha. Ils les nourrissaient, jouaient avec eux, leur apprenaient à chasser, à devenir des loups. La vie était bien trop sacrée pour qu'on la méprise à ce point!

Luna essaya alors d'imaginer la vie de sa mère dans cet enfer des profondeurs. Mais il était difficile d'imaginer quoi que ce soit sans mettre de visage ni de nom sur le mot « maman ». Lui ressemblait-elle? Avait-elle les mêmes cheveux d'argent, les yeux clairs comme l'eau des rivières? Avait-elle la même voix, le même rire? Avait-elle…

Soudain, Luna s'aperçut avec stupeur qu'il manquait une pièce essentielle à son puzzle.

Et son père? Qui était-il? Un esclave lui aussi? Le Marécageux ne lui avait rien dit à ce sujet. Sans doute parce qu'il n'en savait pas plus que ce qu'avait bien voulu lui révéler sa sœur. Mais une horrible pensée s'insinua alors dans l'esprit de Luna, la glaçant d'effroi : et si son père était… un drow!

Non, impossible! Elle aurait la peau noire comme la meurtrière de Zek.

Luna respira de nouveau, soulagée : elle était une pure elfe de lune. Mais l'idée terrible qu'elle aurait pu avoir du sang drow dans les veines l'avait profondément ébranlée.

Elbion s'arrêta d'un coup et Luna manqua de tomber à la renverse.

— Cornedrouille! grogna-t-elle en ouvrant les yeux. Tu pourrais faire atten…

Toutefois, en sentant les muscles de l'animal se raidir sous son manteau de fourrure blanche, Luna laissa ses reproches en suspens. Elbion, les oreilles dressées, semblait aux aguets. Quelque chose n'était pas normal. Luna préféra descendre de son dos.

Le grand loup se tassa alors sur ses pattes arrière, rentra la tête et retroussa ses babines, dévoilant une rangée de crocs impressionnants. Il se mit à gronder d'une voix sourde.

L'adolescente, tremblante de peur, tendit l'oreille en scrutant les alentours. Elle n'entendait rien, mais elle reconnut le bosquet où elle aimait venir ramasser des framboises sauvages, l'été. Ils étaient à cinquante mètres à peine de leur clairière. L'elfe huma l'air, mais à son grand désarroi, elle ne possédait ni l'odorat ni l'ouïe particulièrement développés de son frère canidé. Elle se mit à quatre pattes et, sans faire de bruit, s'approcha d'un épais buisson pour tenter d'apercevoir quelque chose, mais Elbion la rattrapa, n'hésitant pas à mordre d'un coup sec la pelisse de Luna pour l'empêcher d'aller plus loin. L'elfe lui jeta un regard étonné. Elle comprit alors que le loup avait peur et un sentiment irrépressible de panique l'envahit à son tour. Et si d'autres drows avaient trouvé la tanière et attaqué la meute?

— Que se passe-t-il, Elbion? murmura Luna d'une voix hachée par l'angoisse. C'est Shara? Elle est en danger?

Comme pour lui répondre, le loup rabaissa les oreilles et gémit en silence. La seconde d'après, il avait retrouvé son expression féroce et bondissait au-dessus des fourrés en direction de la clairière.

— Attends-moi! s'écria Luna, plus terrorisée à l'idée de rester seule qu'à celle de courir droit dans la gueule des drows.

Pour ne pas perdre de vue le loup blanc, elle n'hésita pas à enjamber les buissons, à sauter par-dessus des bouquets de fougères. Plusieurs fois, elle manqua de glisser sur des bogues éventrées. Enfin, à l'orée de la clairière, elle se jeta sous les branches basses d'un laurier sauge. Son instinct lui hurlait de rester cachée; elle se faufila donc sous le feuillage sombre de l'arbuste pour surveiller les alentours.

Ce qu'elle vit la tétanisa.

Deux créatures immondes, des bipèdes trapus et noirauds, se tenaient sur la corniche, à l'entrée de la grotte, et balançaient des choses au beau milieu de la clairière…

Une fourrure bleutée vola et s'écrasa avec un bruit mat sur les autres, déjà en bas. Luna reconnut immédiatement le corps de Kayla. Sa respiration s'arrêta. Son cœur explosa.

C'étaient les membres de la meute que ces monstrueux êtres jetaient comme de vulgaires sacs de grains!

Lorsque les corps sans vie de Shara et de ses louveteaux vinrent grossir le tas, Luna, ravagée par la douleur, jaillit de sa cachette et courut dans la clairière pour hurler toute sa tristesse, toute sa colère. C'était plus fort qu'elle, il fallait qu'elle crie, qu'elle laisse éclater sa rage et son désespoir, qu'elle témoigne du massacre qui venait d'avoir lieu. Pour la première fois de sa vie, alors que sa meute venait d'être anéantie, elle se sentait louve!

En entendant le hurlement de Luna, Elbion, déjà en haut de la falaise, bondit en direction des deux créatures pour les déchiqueter sans aucune pitié. Mais l'une d'entre elles fut plus rapide et fit jaillir entre ses mains une décharge bleutée qui frappa l'animal de plein fouet.

Luna, impuissante, les yeux pleins de larmes, vit son frère chuter d'une quinzaine de mètres pour retomber sur le cadavre de Shara.

Alors, le cœur de Luna cessa de battre. Sa voix s'éteignit. Sa vie vola en éclats.

Quelque chose dans son âme venait d'être brisé à jamais.

Là-haut, les meurtriers de sa famille se réjouissaient de la mort du dernier loup en couinant de plaisir, comme des hyènes hystériques. Mais en découvrant l'adolescente en contrebas, ils se turent aussitôt. Un sourire gourmand se dessina sur leurs lèvres exsangues.

Luna aussi les regardait.

Ces êtres étaient monstrueux. Ils avaient la peau sombre et les cheveux argentés, comme l'elfe noire que Shara avait tuée, mais ils étaient bien plus petits, plus costauds et surtout effroyablement laids, avec ces pustules qui leur mangeaient la figure.

Les deux créatures avaient déjà entamé la descente de la falaise. Dans moins d'une minute, ils seraient sur elle et l'achèveraient sans pitié.

Curieusement, Luna n'avait plus peur. Son regard allait du charnier aux assassins, des assassins au charnier. Elle attendait que la mort l'emporte comme elle avait emporté les siens.

C'est alors qu'elle sentit sourdre en elle une étrange force.

Une force faite de haine et de colère, mais aussi d'une insoutenable douleur. Une force incontrôlable qui la submergea totalement, tel un raz-de-marée émotionnel, balayant sa propre volonté. La vague fut tellement puissante qu'elle explosa à l'intérieur de son esprit.

Luna ressentit alors un profond sentiment de libération. Cette déflagration mentale fut tellement puissante qu'elle dépassa ses limites corporelles pour jaillir à l'extérieur, telle un orbe d'énergie pure. Alors, une lumière foudroyante déferla sur la clairière, frappant de plein fouet les deux créatures, qui s'écroulèrent en hurlant de douleur.

8

Darkhan, fatigué par la mauvaise nuit qu'il avait passée et écœuré par les plats trop gras qu'on lui avait apportés, repoussa son assiette avec dégoût. La perspective de se battre pour combler la soif de sensations fortes de spectateurs avides de violence et de sang lui coupait l'appétit. Comment manger lorsque dans quelques heures, il serait contraint de supprimer une vie pour enrichir une poignée de crétins qui auraient parié sur lui?

L'accord qu'il avait conclu avec Olorae lui donnait la nausée. Mais c'était hélas le prix à payer pour retrouver sa liberté et mettre un terme à la tyrannie du Néphilim qui décimait ses amis elfes de lune. Cependant, il commençait à se demander si le roi de Laltharils avait fait le bon choix en lui confiant cette mission…

Darkhan serait-il capable d'aller jusqu'au bout? Était-il suffisamment fort moralement pour supporter les atrocités qu'on le forçait à commettre? Il avait de plus en plus peur de ne pas être à la hauteur, de ne pas être digne de la confiance des elfes argentés.

Pourtant, en réalité, ses craintes cachaient autre chose, une peur plus profonde, plus secrète, mais plus terrible aussi... Malgré son éducation irréprochable – son père lui avait inculqué des valeurs fondamentales telles que l'amour, l'amitié, la compassion, l'entraide, ainsi que le respect pour la vie sous toutes ses formes –, Darkhan avait peur de découvrir l'autre qui sommeillait au fond de lui. Peur que le sang drow qui coulait dans ses veines ne fasse ressurgir en lui sa vraie nature. Peur de s'apercevoir que comme un vrai drow, il prenait plaisir à tuer...

Si, après ces trois combats, Darkhan se rendait compte que sa nature drow avait pris le dessus sur son éducation, aurait-il le courage de renoncer à la vie en mettant fin à ses jours? Abandonnerait-il ses amis en péril pour s'adonner sans remords à la violence? Ou bien serait-il capable de résister à l'appel du sang en contrôlant ses pulsions meurtrières pour mener à bien sa mission coûte que coûte?

Darkhan ferma les yeux pour chasser ses noires pensées. Il orienta son esprit vers Laltharils, l'antique cité sylvestre où régnaient la paix et l'harmonie avant que ce maudit Néphilim y sème la folie et la discorde. Ce démon venu d'un autre plan avait été appelé par un Invocateur drow et il fallait que Darkhan détruise la stase qui abritait l'âme maléfique de la créature pour qu'enfin cessent ses exactions.

Ce soir, il ne se battrait ni pour la gloire, ni pour l'argent, mais pour avoir une chance de détruire la stase du Néphilim.

La porte s'ouvrit soudain à la volée sur un urbam au visage vérolé qui lui balança son armure ainsi que son épée.

— Dépêche-toi! grogna-t-il. Maîtresse Oloraé t'attend.

La porte claqua de nouveau et Darkhan s'empressa d'enfiler sa cotte de mailles. Ainsi vêtu, il se sentait de nouveau prêt pour affronter les épreuves et les dangers qui jalonnaient sa route. Le guerrier ceignit ensuite autour de sa taille le fourreau ciselé contenant sa lourde épée. La sentir à ses côtés lui redonna force et assurance. Après ce soir, Mozorbock n'aurait sans doute plus jamais l'occasion de fracasser des crânes.

Lorsqu'il fut prêt, Darkhan frappa à la porte et trois urbams se saisirent de lui pour lui entraver les poignets et les chevilles. À la lueur des torches, le guerrier mesura à quel point ces créatures dégénérées étaient ignobles. Quelques rares poils blancs sur un crâne cloqué, un visage ravagé par des pustules saignantes, un cou atrophié, des membres trop courts et souvent difformes. Ces aberrations de la nature possédaient néanmoins des pouvoirs magiques impressionnants et pouvaient s'avérer de redoutables adversaires.

Alors qu'il serrait les chaînes de toutes ses forces, l'un des urbams s'approcha un peu trop près du visage de Darkhan. Une lueur gourmande traversa son regard.

— Pas touche, Gronk! ordonna la voix autoritaire d'Oloraé, qui venait d'apparaître. Interdiction de toucher à mes gladiateurs! Tu le sais, pourtant. Si tu regardes encore une seule fois mon champion avec ces yeux-là, je te les fais arracher et avaler un après l'autre! C'est clair?

L'immonde serviteur baissa la tête et courba l'échine en signe de soumission. Le message était suffisamment explicite pour que l'urbam se tienne à distance du nouveau favori de sa maîtresse.

— Alors, Darkhan Sans Maison, minauda Oloraé en frôlant les chaînes qui enserraient le guerrier. Prêt à affronter l'Écrabouilleur?

C'est le petit nom qu'ils ont donné à Mozorbock…

Darkhan serra les dents, se contentant d'acquiescer d'un signe de tête.

Oloraé, parée d'une somptueuse robe de velours pourpre, recouverte de pierres scintillantes, lui décocha son plus beau sourire avant d'ajouter :

— Ah, petite précision : dans l'arène, il n'y a aucune règle. À l'exception de l'utilisation de la magie, tous les coups sont permis, toutes les armes aussi. Le combat ne s'arrête qu'à la mort d'un des deux gladiateurs. Il ne doit en rester qu'un! Et si l'un des deux étripe son adversaire en moins de dix minutes, les mises sont doublées! Je compte donc sur toi pour achever ce gros tas de muscles le plus rapidement possible. J'ai parié beaucoup, ce soir, vraiment beaucoup… Bonne chance, mon champion! Ne me déçois pas…

Elle lui caressa le visage et disparut dans un tourbillon de parfum capiteux.

La rumeur de la foule en délire, scandant le nom de son favori, montait des tribunes comme une lugubre oraison.

— Mo-zor-bock! Mo-zor-bock! Mo-zor-bock!

Darkhan sentit l'adrénaline inonder son corps. Une rage sourde montait en lui. Les urbams avaient ôté ses chaînes et l'avaient enfermé dans l'antichambre de la mort. Dès que la porte qui le séparait encore de l'arène s'ouvrirait, il se jetterait sans attendre sur le barbare pour lui ôter la vie. Le combat serait vite expédié.

Darkhan ne le ferait pas pour combler la cupidité et satisfaire la sauvagerie d'Oloraé, mais pour s'acquitter de son contrat le plus rapidement possible. Plus vite il achèverait ses adversaires, plus vite il retrouverait la liberté. Et plus vite il sauverait les elfes de lune.

Et s'il ne devait en rester qu'un, ce serait lui!

Quand la porte s'ouvrit enfin, les applaudissements mêlés de hurlements sauvages agressèrent les oreilles de Darkhan. Tous les spectateurs encourageaient le barbare, qui trônait déjà au milieu de l'arène. En apercevant le guerrier drow qui pénétrait à son tour dans la cage d'acier, le public se mit à hurler des insultes. Le ton était donné.

L'arène était en réalité une immense structure métallique en forme de cube, sur laquelle s'étaient hissés les spectateurs assoiffés de violence. Dans la tribune d'honneur, Oloraé ne quittait pas des yeux son champion.

Darkhan observa son adversaire.

Plus de trois mètres de haut, deux cents kilos de muscles et une double hache à faire frémir le pire des bourreaux. Olorae avait légèrement sous-estimé les capacités de Mozorbock. Cependant, un seul regard suffit à Darkhan pour repérer les points faibles du colosse. Il n'avait pas d'armure; seules des braies en cuir protégeaient ses jambes puissantes. Son arme était certes redoutable, mais bien trop lourde pour être maniée avec agilité. Enfin, la vitesse ne devait pas être le point fort du mastodonte. Le cerveau de Darkhan élaborait déjà un plan d'attaque.

Les gladiateurs se toisèrent durant quelques longues secondes.

Le géant poussa soudain un hurlement terrible et leva sa hache, encore rouge du sang de ses précédentes victimes. Toutefois, à sa grande surprise, le guerrier drow ne se trouvait déjà plus en face de lui. Le barbare, perplexe, son arme toujours en l'air, tourna la tête dans tous les sens.

Il sembla fort surpris lorsqu'une lame jaillit de ses entrailles dans un bruit humide. Un silence de mort s'abattit sur l'arène. L'épée tranchante de Darkhan avait transpercé la poitrine du colosse, perforant ses organes vitaux.

La hache retomba lourdement sur le sable et Mozorbock porta sa main à la plaie béante qui zébrait son torse. Mais il était trop tard.

Darkhan retira son épée et le barbare s'effondra dans une gerbe de sang.

À peine deux minutes!

Les spectateurs laissèrent exploser leur joie et se mirent à scander le nom du nouveau héros. Tant pis pour leurs économies, un tel exploit était si rare qu'il valait bien la peine d'être salué comme il se devait.

Dans sa loge particulière, située juste devant les gladiateurs et à l'abri de la populasse, Oloraé exultait. Elle ne regrettait pas d'avoir sacrifié deux urbams, une esclave et ce vaniteux de N'hargol pour s'offrir les services de Darkhan. Ce mystérieux drow allait faire sa fortune!

Darkhan quitta le cube d'acier sous les vivats de la foule comblée. Il fut de nouveau enchaîné et reconduit à sa cellule. Avant de le laisser entrer, les urbams l'autorisèrent à garder son armure de *mithril*, mais son épée lui fut confisquée.

Le guerrier constata, surpris, qu'un tonneau rempli d'eau chaude occupait le centre de la petite pièce. La perspective d'un bon bain lui arracha un sourire. Il n'avait pas eu le temps de transpirer lors du duel, mais il avait envie de laver le sang qu'il portait encore sur ses mains. Peut-être espérait-il également laver sa conscience de toutes ces morts inutiles…

Sur son lit, une serviette parfumée et une tenue propre l'attendaient. Il avisa sous la banquette un pichet de vin et une assiette de victuailles. Oloraé avait pensé à tout.

Deux heures plus tard, lorsque la sorcière drow pénétra dans la cellule, elle fut heureuse de trouver un Darkhan propre et en pleine forme. L'assiette et le pichet étaient vides. Apparemment, le guerrier rebelle s'était laissé séduire par ses petites attentions.

— Dois-je t'immobiliser comme hier ou puis-je t'accorder ma confiance? demanda Oloraé en restant à bonne distance de son prisonnier.

— Nous avons conclu un accord, je respecterai ma parole! Tu ne risques donc rien à t'approcher de moi…

— Serait-ce une invitation? suggéra la belle drow, les yeux brillants.

Darkhan leva les sourcils, surpris par la tournure que prenaient les choses, et faillit éclater de rire. Il se rattrapa à temps, se contentant de sourire.

— Certes non, Oloraé, je n'aurais pas cette impudence. Par contre, je t'aurais bien proposé un verre, mais mon pichet est vide… Désolé!

L'affront déguisé du guerrier stoppa net les velléités charnelles de la sorcière, qui retrouva un visage impassible.

— J'étais juste venue pour te féliciter. Une minute et quarante secondes... Tu as pulvérisé le dernier record! Grâce à toi, j'ai remporté une très coquette somme.

La jeune femme fit tinter quelques pièces d'or dans sa poche et murmura :

— Es-tu certain que ta liberté importe plus que l'or que tu pourrais gagner? Toute cette richesse pourrait t'appartenir si tu acceptais de travailler pour moi. Les bons gladiateurs sont rares et leur fortune vite assurée. Que dirais-tu d'un vrai contrat avec vingt-cinq pour cent de tous les gains, un logement luxueux, des domestiques et la possibilité de t'en aller au bout d'un an si cette vie ne te convient plus? Alors, qu'en dis-tu?

Darkhan la toisa avec mépris.

— L'or ne m'intéresse pas, pas plus que la violence et le sang. J'ai tué ce barbare parce que nous avons conclu un accord, ni plus ni moins. Encore deux adversaires et tu respecteras ta promesse en me rendant ma liberté. Puis-je t'accorder ma confiance?

Oloraé se redressa en serrant les dents.

Ce mâle ne manquait pas de repartie. Mais où avait-il donc grandi pour cracher ainsi sur les valeurs qui faisaient l'orgueil des drows? Quelle était sa maison d'origine? En avait-il été banni pour ainsi préférer la taire? Il faudrait qu'elle mène une enquête sérieuse à son sujet, cela pourrait se révéler fort instructif... et un peu de chantage le ferait peut-être changer d'avis!

— Bien sûr que tu peux me faire confiance! lança-t-elle en se dirigeant vers la porte. Mais réfléchis tout de même à mon offre, elle est plus que généreuse.

— Quand aura lieu le prochain combat? demanda Darkhan comme s'il n'avait pas entendu sa dernière remarque.

— Demain après-midi. Tu affronteras la championne de la maison Vol'Merzz. Histrill est une humaine étonnante : elle a déjà dix victoires à son actif et la rumeur raconte qu'en tant que chasseresse aguerrie, elle collectionne les têtes de ses adversaires... Mais je serais fort déçue que la tienne vienne compléter son palmarès. Tu mérites mieux que de finir au-dessus d'une cheminée, n'est-ce pas?

Oloraé claqua la porte et le courant d'air souffla l'unique torche de la cellule, plongeant Darkhan dans les ténèbres.

Darkhan hurla dans son sommeil et se réveilla en nage.

Il ignorait quelle heure il était et s'il avait beaucoup dormi, mais le terrible cauchemar qu'il venait de faire lui avait totalement coupé l'envie de dormir. Il s'était vu dans cette arène infernale, conspué par des centaines de drows en furie, en train d'affronter la déesse Araignée en personne! Hélas, il n'avait pas récupéré son épée et c'était à mains nues qu'il devait affronter la monstrueuse créature. Lorsque Lloth l'avait plaqué contre les grilles d'acier avec ses deux grosses pattes velues, Darkhan avait compris qu'il allait mourir. Il avait levé la tête et avait aperçu, parmi les spectateurs déchaînés, le visage grimaçant du Néphilim qui le narguait. Darkhan avait hurlé juste avant que la déesse Araignée ne lui plante ses chélicères dans le cou.

Encore haletant, Darkhan s'assit sur la banquette.

Il avait horriblement soif. Il n'aurait pas dû boire autant hier soir, mais il croyait que les vapeurs de l'alcool dissiperaient sa honte d'avoir tué un innocent. Même si ce Mozorbock était une brute épaisse et un écrabouilleur de crânes, Darkhan n'avait *a priori* rien contre lui. Il aurait cent fois préféré le tuer au détour d'une ruelle pour sauver sa vie ou celle d'un autre que d'avoir à le faire au milieu d'une foule en délire, pour une poignée d'or! Le résultat était le même, mais Darkhan avait des principes et la société drow était en train de corrompre ses valeurs.

Darkhan s'agenouilla sur le sol et adressa une fervente prière à sa déesse protectrice. La douce Eilistraée, vénérée par son père et adorée en secret par quelques bons drows, était la seule à pouvoir le sortir de là. Il leva les yeux vers la grille au-dessus de sa tête et se prit à espérer que la lune blanche, symbole de la divinité pacifique, montrerait sa pâle figure.

Le guerrier resta prostré plusieurs heures dans une muette prière. Il réagit à peine lorsque les urbams lui glissèrent une écuelle pleine d'une immonde bouillie censée lui procurer force et courage.

Quelques heures plus tard, le même scénario se répéta et Darkhan se retrouva de nouveau dans l'antichambre de la mort. Oloraé avait insisté pour que son champion se munisse d'un bouclier léger. Mais ce n'était pas le seul détail à avoir changé. Cette fois, c'était son nom que le public scandait avec ferveur :

— Dar-khan! Dar-khan! Dar-khan!

Un goût de bile envahit sa bouche, mais sa main serra la garde de son épée à s'en faire blanchir les jointures. Darkhan, la tête haute et tous ses sens en éveil, pénétra le premier dans la cage métallique. Insensible aux hurlements hystériques de ses admirateurs, il fixa son attention sur la porte en face de lui. La grille ne tarda pas à s'ouvrir et une humaine de grande taille, à la chevelure rousse, fit son entrée dans l'arène. Plutôt jolie, la femme portait une fine armure de cuir rouge et arborait un superbe arc ouvragé. Darkhan se mordit la lèvre. Cette arme offrait à son adversaire l'avantage de pouvoir le toucher même s'il restait loin d'elle...

Darkhan comprit alors pourquoi Oloraé avait tenu à ce qu'il se munisse d'un bouclier. Mais Darkhan ne se faisait pas d'illusion : la sorcière ne l'avait pas fait par gentillesse, elle tenait juste à empocher un pactole supplémentaire.

Malgré son air tranquille et son apparente candeur, Histrill serait certainement une adversaire plus redoutable que Mozorbock. La jeune archère souriait à la foule malgré les sifflements dont elle faisait l'objet. Elle adressa un clin d'œil complice à Darkhan et, la seconde d'après, avec une dextérité phénoménale, elle encochait déjà une flèche empennée d'une plume écarlate.

Darkhan fit un bond sur le côté et évita le projectile de justesse. Un hurlement de douleur lui fit comprendre que la flèche qui lui était destinée venait d'atteindre un spectateur imprudent. Le guerrier comprit avec horreur qu'aujourd'hui, il y aurait sûrement plus de morts à l'extérieur de la cage qu'à l'intérieur...

S'il voulait éviter que le duel tourne au carnage, il devait neutraliser au plus vite cette maudite chasseresse. Il brandit son bouclier et fonça droit vers Histrill, qui fit pleuvoir sur le guerrier une pluie de flèches. Toutes, sans exception, vinrent se ficher dans l'acier de l'écu. D'un coup d'épée efficace, Darkhan brisa en deux l'arc de la belle, qui recula de quelques pas, effrayée. Elle mit un genou à terre et riva ses yeux verts au plus profond des siens.

Le public, captivé, retint son souffle.

Darkhan jeta au loin le bouclier devenu aussi encombrant qu'inutile et s'approcha de son adversaire. S'imaginant qu'Histrill, une fois désarmée, implorerait sa clémence, il lui tendit la main pour la relever. Mais l'humaine avait apparemment l'âme aussi noire que les femelles drows, car elle brandit par surprise une longue dague effilée qu'elle cachait dans sa botte et la planta sans hésiter dans l'épaule du guerrier.

Cette garce visait le cœur! Heureusement que les mailles de mithril avaient dévié la lame, autrement Darkhan serait mort sur-le-champ.

Le guerrier supporta la douleur sans ciller, mais n'eut aucun remords à planter son épée dans la poitrine de la femme. Lui aussi visa le cœur et l'armure de cuir n'offrit qu'une maigre résistance. La belle Histrill mourut sans un cri.

La foule hurla alors toute sa joie et se leva pour l'applaudir. Le duel avait duré moins de cinq minutes, et deux victoires en deux jours, c'était suffisamment rare pour que Darkhan soit promu nouveau héros des arènes d'Oloraé.

Pourtant, loin d'éprouver de la fierté pour l'acte criminel qu'il venait d'accomplir, Darkhan, plein d'amertume et de regrets, s'empressa de regagner sa cellule, en tentant d'oublier cette foule qui trépignait en attendant les gladiateurs suivants.

9

Luna, affolée, hébétée, courait désespérément dans la forêt. Elle y voyait à peine à travers le rideau de larmes qui inondait ses yeux. L'adolescente fonçait droit devant elle, sans réfléchir, sans savoir où elle allait, comme si son corps agissait seul, mu par une impérieuse volonté de fuir, loin, très loin.

Les branches piquantes fouettaient son visage, accrochaient ses cheveux. Les ronces griffaient ses jambes nues. Mais aucune douleur physique, aussi intense soit-elle, n'aurait pu ralentir sa course effrénée. Ce n'était pas dehors qu'elle avait mal, mais dedans...

Son cœur s'était brisé quand elle avait vu les cadavres des loups s'entasser au pied de la falaise. Son esprit avait volé en éclats lorsque Elbion s'était effondré à son tour. Son âme avait été assassinée en même temps que la meute.

L'elfe aurait voulu mourir avec eux. Mais une force intérieure, surgie du plus profond de son être, en avait voulu autrement. Sans que Luna puisse la dominer ni la contrôler, l'onde mentale s'était nourrie de sa colère et de sa haine pour libérer un formidable orbe d'énergie qui avait foudroyé les assassins de sa famille.

Luna ne se rappelait plus ce qui s'était passé ensuite. La seule chose qu'elle savait, c'est qu'elle était encore en vie, puisqu'elle fuyait aveuglément au cœur de la forêt.

Soudain, ses pieds s'emmêlèrent dans un piège de racines. Luna s'écroula au milieu d'un bouquet de fougères. Son corps, trop faible pour réagir, ne se releva pas. Épuisée, prostrée, vidée, Luna glissa dans l'inconscience.

La pluie battant sur son visage la réveilla brusquement. Luna, le corps meurtri et l'esprit embrumé, se remit machinalement debout. En essuyant ses joues pâles, elle promena son regard autour d'elle. La nuit commençait à tomber, mais elle reconnut sans peine les marais de l'elfe sylvestre. Ses pas la guidèrent alors vers la passerelle vermoulue. Les grosses gouttes s'écrasaient sur sa chevelure d'argent, qui brillait d'un éclat irréel dans l'obscurité du crépuscule. Tel un fantôme dans la brume, l'adolescente se dirigea vers l'île du Marécageux et poussa la porte de sa cabane sans frapper. Il n'y avait personne.

Une fois à l'intérieur du grand marronnier, Luna referma la porte et s'assit sur le sol pour laisser libre cours à son chagrin. La pluie l'avait sortie de son hébétude, réveillant son esprit. L'eau avait lavé ses blessures, mais également ravivé la douleur qui lui vrillait l'âme.

Luna souffrait plus qu'elle ne l'aurait jamais cru possible. Elle se sentait si triste, si désespérée, si seule. Plus jamais elle ne frotterait son nez sur le museau humide de la belle Shara. Elle ne jouerait plus avec les louveteaux à la fourrure si douce. Elle ne partagerait plus la complicité d'Elbion, ni sa rassurante chaleur lorsqu'ils s'endormaient l'un contre l'autre.

C'était comme si elle venait d'être abandonnée une deuxième fois.

Depuis combien de temps pleurait-elle ainsi? Les spasmes convulsifs avaient succédé aux larmes brûlantes. La nuit était déjà profondément installée lorsqu'un cri rauque, au loin, interrompit ses sanglots silencieux.

Instinctivement, Luna se redressa pour tendre l'oreille. Un second cri lui donna la chair de poule. Sentant le danger imminent, l'adolescente tira le loquet de la porte. Puis, elle se précipita à la fenêtre pour regarder discrètement à travers la vitre sale. Grâce à sa vision nocturne, elle y voyait comme en plein jour. Et ce qu'elle vit la tétanisa : sur l'autre rive, en face, deux individus avançaient prudemment le long de la berge des marais putrides. Le premier ressemblait fort aux immondes bipèdes qui avaient massacré sa meute. La deuxième était une drow vêtue d'une armure hérissée de pics en métal. Une lame recourbée, aussi grande que son bras, pendait le long de sa cuisse, reflétant la lumière blafarde de la lune.

Les deux créatures malfaisantes étaient encore loin, mais elles finiraient bien par trouver la passerelle menant jusqu'à l'île, et alors, si elles trouvaient la gamine, elles seraient sans pitié...

Luna s'accroupit dos à la fenêtre, terrorisée. Si seulement le Marécageux était encore là! Lui, il saurait quoi faire, il avait toujours réponse à tout!

Une idée traversa alors l'esprit de l'elfe : et si elle essayait de faire de nouveau appel à cette force fulgurante qui avait foudroyé ses adversaires? Luna ferma les yeux et essaya de se concentrer, cherchant au fond d'elle cet étrange sentiment de puissance. Mais rien ne vint. L'adolescente puisa dans son cœur pour faire remonter la colère et la haine qu'elle se souvenait avoir ressenties au moment où la force était née. En vain.

Apparemment, cette énergie destructrice n'apparaissait hélas pas sur commande.

Le cœur battant à tout rompre, Luna jeta dehors un coup d'œil angoissé et vit les inquiétants visiteurs s'engager sur la passerelle vermoulue. Dans moins de deux minutes, la guerrière et l'autre monstre seraient ici et défonceraient la porte à coups de sabre.

Désespérée, Luna se retourna pour essayer de trouver une cachette dans la cabane; soudain, son regard fut attiré par le reflet de la lune sur un coffret métallique posé sur la table. En faisant attention à ne pas être vue, elle se précipita vers l'objet et découvrit alors le message de l'ermite, coincé au-dessous de l'écrin.

Luna,

Si tu es revenue ici avant le dernier quartier de lune, c'est que tu es en danger. Si c'est effectivement le cas, prends cette boîte avec toi et cours te mettre dans l'âtre de la cheminée. Une fois là, appuie sur la petite pierre noire qui se trouvera sur ta droite. Emporte également le sac au pied de la table ainsi que ce message (afin que personne d'autre ne découvre jamais l'entrée de mon tunnel secret).

Si tu n'es pas en danger, range précautionneusement ce coffre sous mes affaires dans ma grosse malle et promets-moi de ne pas l'ouvrir! Je préférerais que nous le fassions ensemble.

Je compte sur toi.

Ton vieil ami.

Sans chercher à tout comprendre, Luna glissa le mot dans sa poche et, jetant un dernier regard apeuré en direction de la fenêtre, elle prit le coffret sous son bras et souleva le sac de jute de son autre main. Elle courut se placer à l'endroit indiqué, surprise que le gros chaudron plein de soupe ainsi que les cendres qu'elle y avait vus le midi même soient disparus. Toutefois, le sol se dérobant sous ses pieds lui offrit un début de réponse.

Luna chuta de quelques mètres et atterrit lourdement sur un lit de cendres. Au-dessus d'elle, la trappe se referma brusquement avec un bruit sourd. Un peu sonnée, l'adolescente regarda autour d'elle. Elle se trouvait dans une sorte de cave. Sur l'un des murs suintant d'humidité, elle aperçut une échelle qui servait sans doute à remonter. Devant elle s'ouvrait un tunnel, obscur comme la gueule d'un terrifiant animal.

Au même moment, à l'étage supérieur, la lame d'un sabre faisait voler en éclats la fenêtre de la cabane.

10

Des bandes absorbantes ainsi qu'un baume anesthésiant avaient été déposés sur la banquette de sa minuscule cellule. Après s'être lavé, Darkhan appliqua une épaisse couche du remède sur la plaie qui zébrait son épaule. La lame de cette humaine avait sérieusement entaillé sa chair. Le guerrier serra les dents, mais ne broncha pas. La douleur physique n'était rien face aux souffrances morales qui le torturaient.

Darkhan avait beau se dire qu'il avait agi par légitime défense et que, s'il n'avait pas frappé Histrill, sa longue dague lui aurait perforé le cœur... cette mort le bouleversait néanmoins. C'était la première fois que Darkhan tuait une femme. Cette idée le mettait terriblement mal à l'aise. Le poids de la culpabilité plombait son âme.

Après trois jours seulement passés à Rhasgarrok, le constat était amer : la cité des profondeurs était parvenue à le pervertir, l'obligeant à tuer pour assouvir le plaisir des adeptes de la déesse Araignée. Il se faisait horreur.

Cette fois, Darkhan ne toucha ni au vin ni aux victuailles proposées. Il passa une bonne partie de la soirée à prier Eilistraée pour qu'elle lui donne la force de lutter contre le mal.

Il était presque en transe lorsque Oloraé fit irruption dans sa cellule comme une furie. Ne s'attendant visiblement pas à le trouver en train de prier, elle eut une seconde d'étonnement :

— J'espère que c'est à Lloth que tu adresses cette fervente prière, car tu auras bientôt besoin de son aide!

— Comment ça? fit le guerrier en se relevant.

L'effort lui arracha une grimace de douleur, ce qui ne manqua pas d'inquiéter Oloraé.

— Tu as mal? Si je ne craignais pas que cette vilaine blessure ne te fasse perdre l'avantage lors du prochain combat, je te dirais que tu n'as que ce que tu mérites! Pourquoi as-tu tendu la main à cette humaine? s'énerva-t-elle soudain. Un champion ne doit éprouver aucune pitié! Tu entends? Aucune! Cette maudite femme a bien failli te tuer.

— Merci de me réconforter, ça fait du bien de se sentir soutenu! railla Darkhan. De quoi te plains-tu, Oloraé? Tu as doublé tes mises une fois encore, empochant ainsi un joli magot. Le reste t'importe peu, n'est-ce pas?

La belle drow lui asséna une puissante gifle.

— Ne t'avise plus jamais de me parler sur ce ton! rugit-elle, furieuse. Tu n'es qu'un mâle, alors tiens ton rang, Darkhan! D'ailleurs, ton état de santé m'intéresse, figure-toi, car ce soir tu affronteras le champion de notre grande prêtresse! Il s'appelle Elstyr et c'est un excellent duelliste. C'est tout ce que je sais de lui, mais attends-toi à un vrai combat, cette fois! Contrairement à cet après-midi, tu n'auras pas de deuxième chance!

— Deux duels dans la même journée, n'est-ce pas un peu beaucoup? répliqua Darkhan, à qui un mort par jour suffisait amplement.

— Tu n'as pas le choix et… moi non plus, d'ailleurs. C'est Matrone Zesstra en personne qui a demandé à ce que son champion affronte le mien. Les enchères vont atteindre des sommets! Et ne te plains pas, tu seras libéré de tes obligations envers moi plus tôt que prévu…

Darkhan, qui n'avait pas vu les choses sous cet angle, sourit intérieurement. Oloraé avait raison et, apparemment, elle avait bien l'intention de respecter sa parole.

— Je ne te décevrai pas. Mon duel avec Histrill a bien failli me coûter la vie, je ne ferai pas deux fois la même erreur.

— Heureuse de te l'entendre dire, fit-elle, radoucie. Je compte sur toi, champion!

Lorsque Darkhan se retrouva pour la troisième fois dans l'antichambre de la mort, Oloraé, moulée dans un superbe fourreau orangé, lui rendit une ultime visite.

— Cette fois, pas besoin de bouclier. Par contre, prends cette corde avec toi. Elle est munie d'un crochet qui te permettra de te hisser jusqu'au sommet de la cage d'acier en cas de besoin. On ne sait jamais, ce petit truc te sauvera peut-être la vie…

— C'est… autorisé? s'étonna Darkhan, en se saisissant de la corde.

— Je te rappelle qu'à part la magie, tous les coups sont permis. Surtout ce soir! Ah, une dernière chose : si tu pouvais achever cet elfe dans les dix premières minutes, je te serais à jamais reconnaissante. Matrone Zesstra est tellement arrogante et présomptueuse! Ça lui rabattrait un peu son caquet…

Oloraé l'embrassa sur la bouche avant qu'il n'ait le temps de reculer.

— Bonne chance, champion! conclut-elle en claquant la porte.

En réprimant une grimace, Darkhan s'essuya les lèvres du revers de la main. Il trouvait inconvenant que cette femme se permette ce genre de familiarité, sans comprendre toutefois ce qui le gênait le plus : qu'Oloraé soit une drow, qu'elle le considère comme un vulgaire objet ou qu'au fond de lui, il aurait aimé que ce baiser se prolonge…

Heureusement, dans quelques minutes, tout serait terminé : il serait libre… ou mort.

Soudain, les dernières recommandations d'Oloraé lui revinrent à l'esprit : « Si tu pouvais achever cet elfe… » Cet *elfe*?

S'agissait-il d'un elfe noir – dans ce cas, Oloraé n'aurait-elle pas dit *ce drow*? – ou bien faisait-elle allusion à un elfe de la surface, un elfe doré, un elfe sylvestre ou pire, un elfe de lune?

Le cœur de Darkhan se contracta. Que se passerait-il si le dénommé Elstyr était l'un d'entre eux? Les cruelles paroles d'Oloraé résonnèrent alors dans son cerveau : « Il ne doit en rester qu'un! Un champion ne doit éprouver aucune pitié! Aucune! »

Dans un grincement de chaînes, la grille s'ouvrit et les acclamations de la foule en délire se firent hystériques. Les spectateurs trépignaient d'impatience en hurlant le nom de leur favori. Darkhan commençait à être connu, mais cette fois, il ne faisait pas l'unanimité. Apparemment, les supporters d'Elstyr étaient venus en grand nombre.

Darkhan, le cœur battant, pénétra dans l'arène et chercha du regard la tribune d'honneur. Il repéra Oloraé, sublime dans sa robe décolletée. À côté d'elle se tenait une drow plus âgée, dont l'épaisse chevelure blanche contrastait avec sa robe noire. Probablement Matrone Zesstra. Son visage sévère était orné d'un large tatouage arachnéen qui recouvrait son front ainsi qu'une partie de sa joue droite, signe distinctif que seule l'élue de la déesse avait le privilège d'arborer.

Darkhan dévisagea la grande prêtresse avec curiosité. Elle aussi semblait l'observer. Toutefois, d'où il se trouvait, le guerrier ne put apercevoir la flamme de colère qui dansait dans les yeux de la drow ni ses mains crispées sur les accoudoirs de velours.

Soudain, la grille d'en face se releva à son tour, libérant le deuxième gladiateur, qui pénétra sans attendre dans l'arène de métal. Une silhouette élancée, une peau claire, presque bleue, de longs cheveux blonds. Le sang de Darkhan ne fit qu'un tour.

Elstyr était bien un elfe de lune!

Darkhan sentit ses forces l'abandonner. Il ne pouvait pas tuer un elfe argenté. Impossible!

Il avait grandi avec eux, ils étaient ses amis, sa famille, son peuple. Tuer l'un d'entre eux, c'était trahir tous les elfes de lune!

De l'autre côté de la cage d'acier, par contre, Elstyr, qui brandissait déjà son cimeterre, n'avait pas l'air de partager les états d'âme de Darkhan. Il fonça le premier vers son adversaire en poussant un cri de rage.

Par instinct, Darkhan para facilement le coup. Il s'apprêtait à riposter quand l'encre de ses yeux se noya dans le regard mauve de l'elfe. Il reconnut immédiatement son adversaire. L'esclave aux yeux lavande! L'elfe de lune acheté par le drow balafré! Comment était-ce possible?

Darkhan s'en était terriblement voulu de n'avoir pas pu libérer ce malheureux esclave, et voilà qu'il se retrouvait face à lui, en duel dans une arène, avec comme seul objectif de le tuer!

L'ironie du sort aurait sûrement fait sourire la cruelle Olorаé, mais Darkhan était bouleversé. Il vit trop tard le cimeterre s'abattre vers lui et n'eut pas le temps de bloquer le coup. Il se baissa de justesse et la lame recourbée déchira l'air en frôlant son visage.

Sa joue se mit à saigner.

Le public applaudit à tout rompre. Darkhan brandit alors son épée et se jeta contre son adversaire. Il ne voulait pas le tuer, juste rendre le change en attendant de trouver une solution. Il décida que ses coups créeraient l'illusion, mais ne seraient jamais mortels. Cela lui permettrait de gagner du temps...

Les adversaires s'adonnèrent alors à un ballet d'une virtuosité impressionnante. Les coups fusaient, mais l'épée déviait chaque fois la violence du cimeterre.

Lorsqu'ils furent suffisamment près l'un de l'autre, Darkhan en profita pour lui souffler :

— Je me souviens de toi… Je t'ai vu au marché aux esclaves!

— Et tu n'avais pas assez d'or pour m'acheter, hein? cracha l'elfe en parant le coup du tranchant de sa lame.

— Si j'avais pu, continua Darkhan sans quitter des yeux la danse meurtrière du cimeterre, je t'aurais offert la liberté. Je ne suis pas comme les autres!

La lame recourbée siffla de nouveau au-dessus de sa tête et Darkhan se jeta au sol pour l'éviter.

— Mensonge! Tu es un drow comme les autres, et tu vas mourir! s'écria l'autre en pointant son arme vers la poitrine de Darkhan.

La foule haletante semblait s'être figée.

Darkhan roula sur lui-même et sentit la morsure du cimeterre déchirer sa cotte avant de s'enfoncer dans le sable. Dans la loge d'honneur, Matrone Zesstra décocha un sourire goguenard à Oloraé, blême de rage.

Darkhan se releva et porta sa main à son côté. Elle était poisseuse de sang. Rapidement, il leva son regard sur Elstyr et comprit que l'occasion était inespérée. Le cimeterre étant profondément fiché dans le sable, l'elfe de lune peinait à le récupérer.

Les deux hommes se toisèrent quelques secondes.

Les traits anguleux de la grande prêtresse de Lloth s'affaissèrent d'un coup pendant qu'un rictus de joie se dessinait sur les lèvres d'Oloraé. Voilà neuf minutes que les gladiateurs luttaient et son champion allait remporter la victoire. Intérieurement, la sorcière jubilait!

Contre toute attente, pourtant, Darkhan ne profita pas du handicap de son adversaire. Au grand dam d'Oloraé, il attendit qu'Elstyr parvienne à arracher son arme du sol pour foncer vers lui.

Les spectateurs n'en revenaient pas. Jamais ils n'avaient vu cela! C'était du suicide! L'elfe avait touché le drow à deux reprises et, au moment où il se trouvait sans défense, Darkhan n'en avait même pas profité pour porter le coup fatidique! Quel imbécile!

Les coups s'enchaînèrent de nouveau avec plus d'agressivité et de dextérité encore.

Par trois fois, la lame de Darkhan manqua de transpercer l'elfe, mais chaque fois, le drow dévia son coup pour lui laisser la vie sauve.

Soudain, les adversaires se séparèrent et se jaugèrent mutuellement.

— Pourquoi? murmura Elstyr en fronçant les sourcils.

— Je te l'ai dit! lâcha Darkhan en reprenant son souffle. Je ne suis pas comme les autres. Je ne veux pas te tuer!

La foule ne bronchait plus. Le spectacle que lui offraient ces deux remarquables combattants ne manquait pas de rebondissements.

L'elfe semblait quelque peu dérouté par l'aveu du guerrier drow. Était-il sincère ou était-ce une ruse pour mieux le frapper par-derrière?

— De toute façon, nous n'avons pas le choix! déclara Elstyr, en se ruant avec rage sur Darkhan. L'un de nous deux doit mourir… et ce ne sera pas moi!

Ce qui se passa ensuite alla tellement vite que certains spectateurs n'eurent pas le temps de tout comprendre.

Darkhan rangea son épée dans son fourreau et, sous les yeux d'un public médusé, il lança en l'air la corde que lui avait remise Oloraé. Le crochet agrippa la grille métallique et Darkhan s'envola dans les airs.

Le cimeterre d'Elstyr frappa dans le vide.

Mais le guerrier drow décocha un violent coup de pied dans le visage de son opposant.

Le nez de l'elfe explosa dans une gerbe de sang, sous l'impact formidable des chausses métalliques. Elstyr hurla de douleur et lâcha son cimeterre, enserrant son visage ravagé entre ses deux mains.

Darkhan atterrit un peu plus loin. Il dégaina son épée et l'abattit sur la cuisse de son adversaire, qui émit un râle plaintif avant de s'écrouler dans le sable écarlate.

Le drow détourna alors son regard et saisit le cimeterre de son adversaire. Brandissant l'arme en signe de victoire, il se tourna vers la loge d'honneur en direction des deux femmes.

Darkhan avait mis son adversaire hors d'état de nuire, mais comme il se l'était promis, il ne l'avait pas tué.

Matrone Zesstra et Oloraé se levèrent brusquement. Elles semblaient toutes deux folles de rage. Mais quand les yeux de la sorcière se remplirent d'effroi, Darkhan comprit que quelque chose clochait. D'un geste vif, il se retourna brusquement vers l'elfe qu'il avait sauvagement blessé. Le visage détruit, la cuisse déchiquetée, baignant dans une mare de sang, Elstyr ne s'avouait pas vaincu! Il venait de lancer un shuriken en direction de Darkhan.

Le guerrier drow comprit qu'il était trop tard pour plonger en avant; il se jeta alors en arrière et, au moment où il basculait, il sentit le projectile lui frôler le front. Darkhan s'écroula dans le sable en laissant l'arme poursuivre sa course…

… pour aller se ficher dans l'accoudoir de Matrone Zesstra!

La grande prêtresse, furieuse et indignée, envoya une boule de feu vers son champion, qui n'eut ni la force ni le temps de l'éviter. Après quoi, sans un regard pour l'elfe carbonisé, Matrone Zesstra quitta la loge sous les yeux affolés de la patronne des lieux. Cette dernière s'empressa de la suivre, prise d'un élan de panique.

Au milieu de l'arène, Darkhan gisait encore dans le sable. Malgré les acclamations de la foule en délire, comblée par ce spectacle hors du commun, le guerrier sentit la haine lui nouer la gorge.

Au-dessus de lui, la corde dansait encore joyeusement.

Lorsqu'il regagna les geôles, Darkhan était tellement sonné que les urbams ne prirent même pas la peine de l'enchaîner. Ils se contentèrent de le guider dans les sombres couloirs et de le jeter sans ménagement dans sa sordide cellule.

Vidé, anéanti, rongé par le remords et la colère, Darkhan resta prostré ainsi de longues minutes avant de se relever. Sa blessure au côté lui arracha une grimace de douleur. Darkhan chercha des yeux l'onguent anesthésiant d'Oloraé, mais il avait disparu. Puis, il se rendit compte que cette nuit, curieusement, il n'avait pas droit au bon bain brûlant. Pourtant, il avait gagné et…

Soudain, Darkhan sursauta!

Il avait gagné ce troisième duel et la sorcière n'avait pas tenu sa promesse! Les urbams l'avaient reconduit à cette maudite cellule et lui, trop bouleversé pour réagir, s'était laissé faire comme un pantin! Furieux, Darkhan se rua sur la porte, qu'il martela de coups de poing en hurlant qu'il voulait voir Oloraé.

C'est à ce moment-là qu'il s'aperçut que ces imbéciles d'urbams lui avaient laissé son armure de mithril ainsi que son épée et la corde qu'il avait pensé à récupérer, même si le crochet était resté fermement accroché à la poutre d'acier de l'arène... Cette maudite sorcière avait intérêt à lui rendre sa liberté ou bien ça allait très mal aller!

Une petite ouverture dans la porte s'ouvrit en grinçant. Le visage d'Oloraé apparut soudain.

— Que veux-tu? lui demanda-t-elle avec arrogance et colère.

— Que tu tiennes ta promesse! lui répondit-il sur le même ton.

— Le contrat était clair! Trois victoires et tu étais libre, mais cette nuit, tu as tout gâché!

— J'ai vaincu à trois reprises et…

— NON! hurla la sorcière, dont les iris rouges flamboyaient. Ce soir, tu n'as pas gagné! À cause de ton comportement suicidaire, de ton stupide sens de l'honneur ou je-ne-sais-quoi, la grande prêtresse de Lloth a bien failli mourir! C'est elle qui a tué Elstyr, pas toi! Toi, tu m'as ridiculisée et humiliée! À cause de toi, j'ai perdu toute ma crédibilité et le soutien du clergé de Lloth! Tu comprends ce que cela signifie? Mon arène sera vendue au plus offrant pour dédommager Matrone Zesstra de cet affront!

— Ce ne sont pas mes affaires! Cet elfe est mort et moi, je suis libre! insista Darkhan, plus enragé que jamais.

— Dans tes rêves, Darkhan! Matrone Zesstra m'a demandé ta tête! Demain, les guerrières de la déesse Araignée viendront te chercher et tu seras sacrifié sur l'autel de Lloth pour racheter tes erreurs. Contrairement à ton épée, la lame de la grande prêtresse n'hésitera pas une seule seconde à plonger dans ton cœur! Sois maudit, Darkhan! cracha Oloraé avant de faire claquer la petite porte en bois.

Darkhan comprit qu'il venait de tout perdre.

La spirale infernale de la violence avait eu raison de lui. Sa mission avait échoué. Les elfes de lune ne pourraient jamais se débarrasser du terrible Néphilim, à moins que son père, Sarkor, n'insiste pour reprendre le flambeau…

Non! Non et non!

Darkhan se révolta. Le visage tourné vers la grille au-dessus de lui, il se mit à hurler.

À hurler pour qu'Eilistraée entende enfin son ultime prière.

11

Un terrible fracas fit trembler la dalle de la cheminée au-dessus de Luna. Elle sursauta. La guerrière drow et son monstrueux acolyte avaient sans doute réussi à entrer dans la cabane et étaient sûrement en train de saccager le repaire du Marécageux.

Un sentiment de panique s'empara de Luna. Et si ses poursuivants trouvaient l'entrée du passage secret? Elle devait s'enfuir au plus vite!

La gamine regarda la bouche noire du tunnel et hésita une seconde. Là-haut, un choc sourd – peut-être la table qu'on reversait – la fit de nouveau sursauter. Luna serra contre elle le sac de jute ainsi que la boîte métallique léguée par son protecteur et s'élança dans les ténèbres.

Elle courut pendant presque une heure en suivant l'étroit boyau obscur. Parfois, une ouverture, tantôt à droite, tantôt à gauche, semblait la narguer, mais Luna poursuivait tout droit en se disant qu'il serait plus facile de faire demi-tour si sa direction initiale ne menait nulle part.

À bout de souffle et pliée en deux à cause d'une vive douleur au côté, Luna fut contrainte de s'arrêter. Épuisée, elle décida de s'asseoir sur le sol quelques minutes. Tant pis si l'elfe noire lui tombait dessus. Elle était incapable de faire un pas de plus.

Lorsque sa respiration saccadée se fut enfin calmée, elle tendit l'oreille, inquiète. Mais aucun son ne lui parvint. Peut-être que finalement, personne ne la suivait et qu'elle était en sécurité. Légèrement apaisée, elle décida d'ouvrir le sac de toile.

Il contenait deux outres pleines, une belle miche de pain et un gros morceau de fromage odorant. Luna esquissa un faible sourire. Assoiffée, elle déboucha l'une des outres en peau et la porta à sa bouche. Elle reconnut immédiatement la saveur acide de la sauge. La soupe! Le brave ermite avait pensé que sa petite marmotine apprécierait certainement le délicieux breuvage qu'elle n'avait pas eu le temps de goûter ce midi. Luna ferma les yeux et laissa le liquide glisser dans sa gorge. Légèrement requinquée, l'adolescente s'attaqua ensuite au fromage, qu'elle accompagna d'un bon morceau de pain.

En fait, toutes ces émotions lui avaient fait oublier à quel point elle était affamée. Elle n'avait en effet avalé que quelques baies sauvages avant d'entendre le dernier hurlement de Zek.

Zek… Que sa mort lui semblait lointaine! Pourtant, elle ne remontait qu'à quelques heures seulement…

Le cœur de Luna se serra et elle étouffa un sanglot. C'était vraiment trop dur de se dire qu'elle ne reverrait plus jamais sa famille de loups.

— Elbion, murmura-t-elle en pleurant doucement. Tu vas me manquer, mon frère… Je t'aimais tellement. Tu resteras dans mon cœur. Personne ne te remplacera jamais… Promis.

Du revers de sa manche, Luna balaya ses larmes et prit la courageuse décision de ne plus pleurer. Elle devait se montrer forte. Une louve hurle pour pleurer les siens, mais elle ne s'apitoie pas sur son sort! La vie continue, coûte que coûte. Lorsque Shara avait perdu son premier compagnon de route, elle avait hurlé à la mort des nuits durant. Puis, un jour, ses hurlements avaient cessé. Elle ne l'avait sûrement jamais oublié, mais la vie avait repris le dessus et la dominante avait trouvé un autre mâle avec qui poursuivre sa route.

Luna n'oublierait jamais sa famille adoptive, mais quelque part, ailleurs, elle trouverait sûrement une autre famille au sein de laquelle grandir.

Le moment était peut-être venu d'ouvrir enfin ce mystérieux coffret métallique. Certes, le Marécageux aurait préféré qu'elle ne l'ouvre pas sans lui – sans doute parce que son contenu provoquerait chez elle un choc ou susciterait des questions auxquelles lui seul pourrait répondre. Mais la situation avait changé et, puisque Luna semblait devoir continuer son chemin en solitaire, autant découvrir assez vite ce qu'il contenait.

Avant de l'ouvrir, Luna fit tourner le coffre entre ses doigts avec une attention soutenue, pour l'admirer. C'était un objet de belle facture, délicatement ouvragé et orné d'entrelacs floraux d'un raffinement exquis. L'adolescente n'avait jamais vu quelque chose d'aussi beau. Avec un soin particulier, presque religieux, elle le posa sur ses genoux et pressa doucement le joli fermoir. Un léger *clic* lui indiqua qu'il n'était pas verrouillé. Luna souleva le couvercle avec d'infinies précautions.

À l'intérieur, un parchemin roulé cacheté à la cire dormait à côté d'un petit sachet de velours sombre. Le cœur battant plus fort que jamais, Luna décacheta le message et le lut avec avidité :

Ma petite Luna,

J'ai écrit ces quelques lignes il y a fort longtemps. Deux ans après t'avoir confiée à Shara. Je pensais alors qu'il était important de coucher par écrit cette vérité que moi seul détenais. S'il m'arrivait malheur, tu devais savoir.

J'imagine que si tu me lis aujourd'hui, c'est que je suis mort ou qu'il est arrivé un évènement grave, car ce que tu vas apprendre, j'aurais préféré te le dire de vive voix.

Tu m'as été confiée par ma sœur, Viurna, une belle nuit d'été.

La très dévouée nourrice de ta mère avait réussi le miracle de fuir Rhasgarrok, la cité souterraine des drows, où elles étaient retenues prisonnières toutes les deux.

Ma sœur m'a révélé que ta mère se nommait Ambrethil et qu'elle était une princesse elfe de lune retenue captive par un noble drow qui en avait fait sa maîtresse. Il espérait qu'elle accoucherait d'une fille pour pouvoir l'offrir au clergé de Lloth et revenir ainsi dans les bonnes grâces des prêtresses de la déesse Araignée. Mais comme tu étais blanche comme la lune, jamais les terribles matriarches drows ne t'auraient acceptée et tu aurais été offerte en sacrifice. Ta mère en serait morte de chagrin. Elle a donc confié à Viurna la délicate mission de te mettre en sécurité, de te cacher là où personne ne te retrouverait jamais. Chez moi.

Apparemment, ton père ignore ton existence. Ta mère devait lui dire que le bébé, un garçon, était mort-né et que Viurna était partie l'enterrer.

J'ignore comment s'appelait ton père et à quelle maison drow il appartenait, mais c'est probablement mieux ainsi. Il ne sait pas qu'il a une fille et ce ne serait pas une bonne idée d'essayer de le retrouver. Ne cherche pas non plus ta mère. Cela m'arrache le cœur d'avoir à te confier cela, mais elle est probablement morte, maintenant. Aucune esclave ne résiste bien longtemps aux mœurs barbares des drows. J'en suis désolé.

Ambrethil était originaire de Laltharils, la grande cité des elfes argentés. Si tu es en danger, c'est là-bas que tu devras te rendre au plus vite. Tu y seras en sécurité.

J'ignore si au moment où tu liras mon message, je serai encore en vie, mais j'espère qu'on se reverra un jour, marmousette.

Ton ami, le Marécageux.

P.-S. : Dans ce coffret, tu trouveras également un sachet de velours. Il contient un pendentif à l'effigie d'Eilistraée, l'unique déesse bienveillante du panthéon drow. Tu portais ce médaillon lorsque Viurna t'a amenée jusqu'à moi. C'était un cadeau de ta mère. Garde-le précieusement!

Deux sillons salés couraient sur les joues claires de Luna. Quelques taches humides maculaient le parchemin, diluant par endroits l'encre noire.

Jamais Luna n'aurait cru qu'une lecture pouvait se révéler aussi pénible et douloureuse. Elle avait lu et relu certains passages, jusqu'à les savoir par cœur. Elle n'en avait jamais appris autant sur elle-même et pourtant, ces révélations, loin de la rendre heureuse, la faisaient au contraire terriblement souffrir.

De quoi souffrait-elle le plus?

De savoir que sa mère avait sans doute succombé aux brutalités de son amant et qu'elle-même, Luna, serait à jamais orpheline? Ou de savoir que son père était un elfe noir et que dans ses veines coulait du sang drow?

Luna était la fille d'une elfe de lune et d'un drow assoiffé de sang! C'était comme si une partie d'elle la liait aux assassins de la meute de Shara et cette idée la révoltait plus que tout. C'était presque comme si elle était responsable de l'odieux massacre!

Dans la lettre, le Marécageux la mettait en garde contre son père. Vraisemblablement, ce dernier ignorait son existence. Pourtant, les guerrières drows et leurs ignobles créatures étaient bien à sa recherche! Obéissaient-elles à son père, qui avait fini par découvrir la vérité en torturant sa mère? Ou étaient-elles là pour une autre raison?

L'adolescente, qui s'était pourtant promis de ne plus verser de larmes, éclata en sanglots.

Pauvre Ambrethil! Combien elle avait dû souffrir pour protéger sa fille! La princesse devait éprouver des sentiments très forts envers cette petite pour accepter de se sacrifier ainsi... car nul doute que son geste l'avait condamnée. Elle devait savoir que son cruel amant la tourmenterait jusqu'à la mort s'il apprenait qu'elle lui avait menti, à moins qu'il ne la livre aux redoutables matrones de Lloth, elle, à la place de son enfant...

Luna était anéantie.

Dans la même journée, elle avait perdu son frère, sa famille et ses deux mères, Shara et Ambrethil.

Luna décida de surmonter sa tristesse en découvrant à quoi ressemblait le cadeau de sa mère. D'un geste rapide, elle ouvrit le sachet pour en faire glisser le contenu dans sa main. Au bout d'une chaîne en or se balançait une magnifique bille de nacre blanche. La fine silhouette d'une elfe pleine de grâce, dansant dans des voiles, était délicatement sculptée sur la surface du talisman.

L'objet était superbe et savoir que sa mère l'avait touché la remplissait d'une joie inespérée. Luna enfila le collier et porta l'effigie d'Eilistraée à sa bouche pour l'embrasser. L'adolescente laissa le parchemin taché de larmes s'enrouler sur lui-même, le fourra dans sa poche, à côté de l'autre. Puis elle jeta son sac sur son dos avant de s'enfoncer plus profondément dans les ténèbres du chemin souterrain.

L'infravision de Luna lui permettait de se diriger sans aucune difficulté, mais elle ignorait complètement où la mènerait ce boyau qui, à chaque pas, semblait s'enfoncer un peu plus profondément au cœur de la Terre. Elle marchait d'un bon pas, mais son esprit bouillonnait de questions.

« Par le Grand Putride, qui a bien pu creuser cette galerie sans fin? s'étonna Luna. Est-ce que le Marécageux s'en servait souvent? Pourquoi ne m'en a-t-il jamais parlé? Et puis... où vais-je déboucher? Il ne faudrait pas que je me perde, je n'aurais sûrement pas assez de vivres pour retrouver mon chemin... »

Soudain, une pensée la fit frissonner : « Et si jamais des créatures dangereuses rôdaient par ici? »

Finalement, au bout de cinq minutes de marche supplémentaires, Luna déboucha dans une petite salle circulaire d'où partaient trois chemins. Elle hésita un instant avant de distinguer quelque chose de gravé dans le mur de droite. On aurait dit une inscription. Elle s'approcha et lut : *Aman'Thyr*. Elle n'avait jamais entendu ce nom, mais cela devait indiquer une direction. Luna continua à faire le tour de la salle et déchiffra le nom de *Laltharils* près du tunnel du centre et celui de *Rhasgarrok* pour la galerie de gauche.

Une moue dubitative s'afficha alors sur le visage de l'adolescente. Le Marécageux souhaitait qu'elle se rende dans la cité des elfes argentés pour se mettre à l'abri et pourtant...

Comme si la déesse pouvait lui porter conseil, Luna toucha l'amulette qu'elle portait et la caressa, pensive. Dire qu'hier soir, c'était elle qui offrait à sa mère louve un collier de glands et qu'à présent, elle serrait entre ses doigts le collier de sa vraie mère... Comme si son cadeau avait été prémonitoire.

L'ironie du sort lui arracha un sourire triste.

Luna repensa alors aux mûres offertes à Zek, à la trace rouge qu'elles avaient laissée sur le sol de la grotte... comme du sang!

« Cornedrouille! Et si les mûres étaient également un présage! Et si tout était lié? Et si mon destin c'était justement d'aller voir ce père qui est peut-être la cause de tous mes malheurs et de délivrer ma mère? »

Luna n'avait plus rien à perdre de toute façon. Personne ne l'attendait à Laltharils. S'il y avait ne serait-ce qu'une seule chance qu'Ambrethil soit encore en vie, Luna devait la retrouver!

Sa décision était prise.

Elle s'engouffra sans hésiter dans le tunnel de gauche.

Celui de Rhasgarrok!

12

— Eilistraée! s'époumona Darkhan du fond de sa cellule en direction de la grille, cinq mètres au-dessus de lui. Écoute-moi! Je t'en prie, ne laisse pas Lloth s'emparer de ma vie! Oh, déesse de la Lune, fais-moi sortir d'ici! J'ai une mis…

Darkhan s'arrêta net, le souffle coupé : il venait d'avoir une apparition!

C'était incroyable… La déesse l'avait écouté! Elle se tenait juste au-dessus du grillage d'acier, ses mèches argentées auréolant son angélique visage. Elle le fixait de ses grands yeux bleu clair, pleins de compassion.

— Eilistraée! jubila Darkhan, le cœur battant. Tu as répondu à ma prière… Oh, déesse miséricordieuse, merci, mille fois merci! Je suis prisonnier et demain matin, les gardes de Matrone Zesstra viendront me chercher pour accomplir leur sanglant sacrifice. Je t'en prie, Eilistraée, aide-moi à sortir d'ici! Vite!

Les yeux au ciel, dans une attitude béate, Darkhan attendit que la divine apparition s'exprime. Au lieu de quoi, dans un silence sépulcral, la divinité se contenta de le regarder, toujours aussi intensément.

— Déesse? M'entends-tu? s'inquiéta Darkhan, soudain pris d'angoisse.

Craignant de délirer, il ferma les yeux et les rouvrit trois secondes plus tard. La divine apparition était toujours là, à l'observer en silence.

— Je t'en supplie, libère-moi! cria-t-il de nouveau.

Lorsque enfin Eilistraée ouvrit la bouche, c'est la voix hésitante d'une gamine qui tomba sur le guerrier drow comme une douche froide :

— Je… Je suis désolée, je ne suis pas une déesse…

Les épaules de Darkhan s'affaissèrent d'un coup. Quel imbécile il était! Oser s'imaginer qu'Eilistraée allait l'écouter et apparaître ici, au cœur de la cité qui l'avait bannie…

Cependant, cette gamine n'était pas une illusion! Que faisait une elfe de lune au beau milieu de Rhasgarrok? Savait-elle les dangers qu'elle courait en restant là? Était-elle une esclave en fuite? Darkhan eut une pensée pour Elstyr, mort dans l'arène. Peut-être cette gamine était-elle sa fille?

— Qui es-tu? Que fais-tu ici? demanda le guerrier d'une voix qu'il voulait douce et rassurante.

— Je… m'appelle Luna et… je viens des marais de Mornuyn…

— Des marais de Mornuyn! répéta Darkhan, stupéfait. Mais c'est à plusieurs dizaines de kilomètres… Comment une elfe de lune aussi jeune que toi a-t-elle pu déjouer la vigilance des gardes et passer inaperçue pour parvenir jusqu'ici?

— Je suis passée par un tunnel secret! avoua l'adolescente avant de se mordre la lèvre.

Le Marécageux lui avait pourtant bien dit de n'en parler à personne, et voilà qu'elle dévoilait l'existence du passage au premier venu. Un drow, en plus! Quelle sombre idiote! Ses dernières heures d'existence ne lui avaient-elles donc rien appris?

— Luna, dis-moi où tu es… Je veux dire, sur quoi donne cette grille? lui demanda le guerrier, toujours avec douceur.

L'elfe leva les yeux pour regarder autour d'elle.

— Je suis dans une grotte, une immense caverne… Il y a un étang souterrain à l'autre bout…

— Un étang? Dis, tu veux bien essayer de tirer sur la grille? lui cria l'homme.

Luna hésita un instant. Le drow avait l'air sincère, il lui parlait gentiment, il avait une voix douce et en plus, il vénérait la même déesse que sa mère... Mais étaient-ce des indices suffisants pour lui accorder sa confiance? L'adolescente détailla le drow. Sa joue était balafrée, son armure couverte de sang et sa longue épée l'effrayait. Elle lui rappelait trop le sabre sanglant qui avait coûté la vie à Zek.

Libérer ce guerrier, n'était-ce pas prendre le risque qu'il la tue ensuite? Ou pire... qu'il la livre à cette horrible matrone pour qu'elle la sacrifie à sa place? Les drows étaient des êtres méprisables, sans honneur, incapables de ressentir la moindre pitié. Pourquoi celui-ci serait-il différent des autres?

— Je t'en prie, Luna... Regarde si la grille est scellée ou juste posée? l'implora-t-il de nouveau.

Luna réfléchit. Après tout, cette grille avait l'air très lourde... Jamais elle n'arriverait à la soulever, alors ça ne coûtait rien d'essayer. Le guerrier verrait bien qu'elle avait tenté de l'aider, mais qu'elle était trop faible pour y arriver. Ce ne serait pas de sa faute si le drow restait coincé là-dedans!

— Je vais voir ce que je peux faire, souffla l'adolescente d'une voix mal assurée.

Luna se releva et empoigna la grille des deux mains.

Au début, elle fit semblant de tirer puis, songeant que l'homme ne serait pas dupe, elle tira un peu plus, mais la grille ne bougea pas d'un millimètre.

— Allez! l'encouragea le drow. Essaie encore, plus fort! Je suis sûr que tu peux y arriver!

Luna prit une grande inspiration et tira de toutes ses forces en se projetant en arrière. Elle recommença à plusieurs reprises, mais tous ses efforts furent vains. La grille était trop bien scellée pour elle.

— Je suis désolée, articula-t-elle en direction du prisonnier. C'est trop lourd… Je n'ai pas assez de force!

Elle s'imagina que le drow allait se mettre à hurler, à l'injurier, à la menacer, mais il n'en fit rien. À la place, il braqua sur elle ses yeux sombres, chargés de désespoir.

— Ça ne fait rien, souffla-t-il. Merci d'avoir essayé, Luna, merci d'avoir eu pitié de moi. Maintenant, ne reste pas là! C'est trop dangereux... Tu dois te mettre à l'abri. Il y a plein de méchants drows qui vivent par ici et s'ils te tombent dessus, ils te feront du mal! Beaucoup de mal. Alors retourne vite dans ce tunnel secret...

Puis Darkhan se laissa tomber dans le fond de sa cellule, la tête entre ses mains.

Luna, surprise, l'entendit sangloter. Le guerrier drow pleurait!

Elle aurait dû s'enfuir pour se mettre à l'abri, mais un étrange sentiment la poussa à s'asseoir à côté de la grille pour observer l'elfe noir.

Il avait parlé des *méchants drows*, mais lui semblait tellement différent! Un *méchant* ne parle pas gentiment, un *méchant* ne remercie pas, un *méchant* ne pleure pas…

Son instinct, héritage des années passées avec la meute, lui disait qu'elle pouvait se fier à lui. Et puis, elle se sentait tellement seule. Elle avait désespérément besoin de quelqu'un à qui parler, besoin d'un ami… Le chagrin de cet homme l'émut plus qu'elle ne l'aurait cru. Luna sentit une boule se former dans sa gorge. Elle le regardait à travers les épais barreaux de la grille, agenouillé cinq mètres plus bas, sur le sol crasseux de sa minuscule cellule.

La *grille...*

Luna focalisa alors son regard sur les barreaux de fer et sentit quelque chose naître en elle. Cela venait de loin, du plus profond de son être. Comme cette force extraordinaire qui avait terrassé les deux monstres, mais en moins violent, en plus ciblé. C'était comme si son esprit était en train de se lier à cette grille métallique pour ne faire plus qu'un avec elle. Aussi fou que cela pût lui sembler,

Luna sentait que, désormais, la grille allait lui obéir!

Alors, elle lui demanda mentalement de se desceller, de se soulever pour libérer le drow... et la grille s'éleva dans les airs, sans un bruit, comme l'aurait fait une simple plume balayée par le vent. Lentement, Luna dévia son regard et se rendit compte, émerveillée, que la grille suivait les mouvements de ses yeux. Sans chercher à comprendre ce nouveau prodige, elle détourna vivement la tête vers l'étang et ferma les yeux d'un coup, rompant le charme.

Elle les ouvrit à temps pour voir la grille percuter l'eau noire en une immense gerbe d'écume.

— Nom d'un marais puant! s'exclama l'adolescente, ravie.

Puis, se penchant au-dessus du trou béant, elle héla le guerrier :

— J'ai réussi! Tu es libre…

Darkhan leva machinalement la tête et écarquilla les yeux, stupéfait, en constatant que la gamine ne plaisantait pas. Par quel miracle y était-elle parvenue? Il n'avait rien entendu. C'était tout simplement incroyable...

— Ça alors, Luna, je suis vraiment impressionné! s'exclama-t-il en bondissant sur ses pieds. Écoute-moi bien, maintenant. Je vais te lancer une corde que tu vas attraper et accrocher à quelque chose de solide... Tu peux faire ça pour moi?

— Oui, je crois, fit Luna en se penchant pour attraper la corde. C'est bon, je l'ai! Maintenant, trouvons quelque chose de solide, répéta l'adolescente en regardant autour d'elle.

— Un gros caillou ou un rocher autour duquel tu pourrais nouer cette corde!

— Ça y est, bigredur, j'ai trouvé! lança-t-elle en apercevant une stalagmite imposante. Bouge pas, j'arrive! s'écria-t-elle en courant hors du champ de vision de Darkhan.

« Ça, je ne risque pas de m'en aller bien loin! » songea-t-il en souriant.

Cette gamine lui plaisait bien.

Darkhan sentit alors la corde se tendre entre ses mains. Il tira dessus pour s'assurer que la gamine l'avait solidement arrimée et commença à grimper. Si Oloraé s'était doutée que cette corde lui servirait à lui fausser compagnie! Cette simple pensée lui mit du baume au cœur, lui faisant oublier un instant sa douloureuse blessure au côté.

Rapidement, le guerrier se hissa jusqu'en haut et s'extirpa de sa cellule. Prudent, il prit le temps d'observer l'endroit où il se trouvait. Plongée dans l'obscurité et le silence, la caverne rocheuse était assez vaste, mais curieusement, elle n'avait pas été aménagée par les elfes noirs.

Pas d'habitation, de route, ni de torchère accrochée aux parois. Rien à part cet étang sombre au fond et quelques concrétions calcaires çà et là. Seules deux grilles encore solidement ancrées dans la roche témoignaient des sombres activités auxquelles se livrait Oloraé en sous-sol...

Pendant ce temps, Luna ne quittait pas des yeux l'imposant guerrier qu'elle venait de libérer. Il était vraiment effrayant avec sa cuirasse déchiquetée par endroits et sa peau aussi noire que celle de la meurtrière de Zek.

Luna recula, soudain mal à l'aise.

— N'aie pas peur, petite... Je ne vais pas te faire de mal. Au contraire, je te dois la vie!

Mais Luna restait méfiante.

— Tu es blessé à la joue? demanda-t-elle en indiquant la balafre encore fraîche du guerrier. Tu t'es battu?

— J'ai eu quelques soucis, c'est vrai. Mais ce n'est rien comparativement à ce qui m'attendait si tu ne m'avais pas sorti de là! Sans toi, la déesse Araignée m'aurait mangé tout cru! Sans l'armure, bien sûr, le mithril, c'est un peu dur à digérer!

Il éclata de rire et son hilarité rassura l'adolescente, qui lui offrit en retour son plus beau sourire. Darkhan en fut comblé. Cette gamine était un véritable cadeau d'Eilistraée.

— Viens, Luna! reprit-il en l'entraînant vers le petit lac sombre. Nous ne devons pas traîner dans les parages. Dès que les urbams s'apercevront de mon évasion, le coin deviendra très dangereux. Par où se trouve ton tunnel secret?

Luna fronça les sourcils. Et si c'était un piège?

Mais au fond d'elle, l'elfe sentait qu'elle pouvait faire confiance à cet homme. Se fiant à son instinct, elle glissa sa main bleutée dans la poigne noire du drow et ils s'enfuirent tous les deux en direction du passage secret.

Une fois parvenus de l'autre côté de l'étang, l'adolescente et le guerrier escaladèrent la paroi pour atteindre l'étroit boyau dissimulé par un surplomb rocheux.

— Alors comme ça, voilà l'entrée de ta galerie! se réjouit-il en s'y glissant à quatre pattes. Et tu dis qu'elle mène jusqu'aux marais de Mornuyn, c'est ça?

— Chut! C'est un secret! murmura Luna en le suivant. Il ne faut le dire à personne!

— N'aie crainte, Luna. Je ne dirai rien! déclara solennellement Darkhan en mettant sa main sur son cœur, avant de s'asseoir. Mais, dis-moi un peu, que fait donc une ravissante jeune elfe de lune dans un endroit pareil?

— Je veux bien te le dire si tu me dis comment tu t'appelles…

— Ton marché me semble honnête, plaisanta le drow. Je m'appelle Darkhan.

Aussitôt, la gamine s'écria :

— Cornedrouille, c'est un joli nom! Ça me plaît bien!

Le guerrier ouvrit des yeux ronds comme des billes.

— Comment m'as-tu appelé? Corne quoi?

— Ce n'est pas un nom! pouffa Luna. C'est une expression!

Ce rire cristallin réjouit l'âme torturée du guerrier. C'était comme si d'un coup, l'innocence et la joie de vivre de la gamine avaient lavé ses blessures intérieures.

— J'aime beaucoup! s'exclama Darkhan, amusé par sa propre méprise. Mais j'aime encore plus ton rire, Luna. À Rhasgarrok, personne ne rit comme toi. Ici, au mieux les gens ricanent, se moquent, s'esclaffent, au pire ils grognent, ils grondent, ils hurlent. Ça fait du bien, pour une fois, de voir quelqu'un d'heureux!

— Pourtant, je ne suis pas heureuse, rétorqua tristement Luna.

Son beau regard azur se voila.

Darkhan, impressionnée par le sérieux de cette petite, attendit qu'elle s'explique.

— Je viens de perdre toute ma famille, poursuivit-elle, les yeux perdus dans le vague.

Ils ont été massacrés par des espèces de vilains gnomes à la peau noire recouverte de pustules.

— Des urbams? ne put s'empêcher de commenter Darkhan en écarquillant des yeux remplis d'effroi. Que faisaient-ils dans ton village?

— Je n'habitais pas un village, fichtrenon! Je vivais dans une grotte avec une meute de loups : ils étaient ma famille et… (sa voix se brisa) ils sont tous morts, même Elbion, mon frère de lait…

Darkhan était abasourdi. Cette gamine avait été élevée par des... loups? Il avait déjà entendu des histoires similaires, mais il avait toujours cru qu'il s'agissait de légendes.

Il passa son doigt sur la pommette de Luna pour effacer les sillons humides.

— Mais, dis-moi, si tu as grandi parmi les loups, comment se fait-il que tu parles aussi bien et que tu connaisses des jurons aussi fleuris?

— C'est le Marécageux, un vieil elfe sylvestre qui vit dans les marais, qui m'a recueillie et confiée à Shara, la louve dominante, expliqua Luna. C'est lui qui m'a appris à parler, à lire et à écrire. Je lui dois beaucoup. Mais j'ignore où il est...

Luna marqua une pause que le guerrier respecta, malgré les centaines de questions qu'il brûlait de lui poser.

— Lorsque je lui ai appris que Zek, le compagnon de Shara, avait été tué par une vilaine drow et que je lui ai montré le pendentif en forme d'araignée qu'elle avait autour du cou, le Marécageux a pris peur. Il m'a alors parlé des elfes noirs, de leur horrible déesse et de leur cité souterraine. Puis il m'a ordonné de rester avec la meute. Il croyait que j'y serais en sécurité. Par le Gland Sacré, s'il avait su!

— C'était sans compter les urbams et leurs maîtresses, c'est ça?

— Oui, alors j'ai fui. Je suis retournée dans les marais et j'ai emprunté son passage secret. Le Marécageux m'avait laissé une lettre dans laquelle il me demandait de gagner Laltharils. Mais j'ai préféré prendre la direction de Rhasgarrok. Pourtant, parfois, je me demandais si j'avais fait le bon choix... Le voyage m'a semblé interminable! Je crois que j'ai marché trois jours ou peut-être même quatre... Je ne me suis arrêtée que pour dormir et manger.

— Tu es drôlement courageuse! la complimenta Darkhan en souriant.

Apparemment, le vieux Marécageux ne savait pas qu'un maléfique Néphilim causait de terribles ravages dans la cité des elfes argentés. Luna avait bien fait de ne pas s'y rendre!

— Mais pourquoi n'as-tu pas obéi à ton ami? reprit Darkhan.

— Parce que ma mère vit ici, bougrebouc, et que je suis venue la libérer!

Le guerrier sursauta.

— Comment? Tes parents sont des… esclaves?

Les images violentes de son combat contre l'esclave elfe de lune lui revinrent en mémoire comme une gifle. Et si l'elfe aux yeux lavande était le père de cette gamine?

— Ma mère seulement! rétorqua Luna. Mon père, lui, c'est un noble et en plus, c'est… un elfe noir! Même si cela ne se voit pas, je suis à moitié drow! révéla Luna en détournant les yeux pour cacher sa honte.

Le cœur de Darkhan se serra, comme coincé dans un étau. Il laissa sa respiration se calmer et prit une grande inspiration avant de déclarer :

— Je comprends ce que tu ressens...

— Par le Grand Putride, ça m'étonnerait! le rabroua l'adolescente en levant les yeux au ciel.

— Oh si, car je suis comme toi, Luna : je suis à moitié elfe de lune. Même si ça ne se voit pas!

— Hein? s'écria Luna, abasourdie. Mais… par le Gland Sacré, c'est impossible! Tu ne peux pas être à moitié elfe de lune… Tu me ressemblerais!

Les yeux noirs de Darkhan se plissèrent.

— Sache, Luna, que les enfants nés d'un père drow et d'une mère elfe de lune – ou l'inverse – ne possèdent les caractéristiques physiques *que de l'un* de leurs parents. Il n'existe pas de vrai métissage, ni de règles établies. Ma mère est une elfe argentée, comme la tienne, mon père est un drow, comme le tien, et pourtant, nous sommes très différents l'un de l'autre, n'est-ce pas?

Luna, perplexe, l'examina avec attention. Son regard azur allait et venait entre la peau sombre du guerrier et la sienne, laiteuse et presque bleutée.

— Est-ce que j'ai quand même du sang drow dans les veines? s'enquit-elle, en tentant de dissimuler son dégoût.

— Oui, bien sûr, mais le sang n'est rien! Ce qui compte, c'est ton âme.

— Ça veut dire que mon âme est celle d'une drow? Que je suis aussi mauvaise que ces criminelles qui ont assassiné ma famille? Cornedrouille! Tu mens! se révolta Luna, en larmes.

— Eh, du calme! Oui, tu es d'origine drow, mais cela ne fait pas de toi une meurtrière en puissance. Tout est une question d'éducation! Moi, je suis né à Laltharils et j'ai grandi parmi les elfes de lune. J'ai acquis leurs valeurs, leur sagesse, leur respect de la vie... et je n'ai rien en commun avec les elfes noirs qui peuplent Rhasgarrok, hormis mon apparence physique.

Luna l'écouta en silence, se demandant où Darkhan voulait en venir.

— Quant à toi, si j'ai bien compris, tu as été élevée par une louve. C'est une sacrée aubaine, tu sais! Il n'y a pas d'animaux plus sociables. Pour eux, le clan, la famille, les enfants sont sacrés. Les loups possèdent des valeurs fondamentales telles que l'amitié, la solidarité, la loyauté et même l'amour. Des notions que peu de races dites « intelligentes » peuvent se vanter de posséder. Shara t'a adoptée, nourrie, choyée comme une véritable petite louve. Tu es plus louve que drow, Luna!

Ces paroles réconfortèrent l'adolescente, qui essuya ses larmes du revers de la main.

Oui, au fond d'elle, Luna avait toujours su qu'elle était à moitié louve. Mais cela lui faisait beaucoup de bien qu'on le lui dise, maintenant que la meute n'était plus là pour lui rappeler à chaque seconde qu'elle faisait partie du clan.

— En plus, poursuivit Darkhan, tu as eu la chance de profiter des connaissances d'un vieil elfe sylvestre. Avec son savoir, il t'a certainement transmis un peu de sa sagesse ancestrale. Et à quelques jurons près, plaisanta-t-il, tu es devenue quelqu'un de bien, Luna, quelqu'un qui semble profondément bon, généreux et sensible. Tu es exceptionnelle! Crois-moi, toutes ces influences qui irriguent ton âme sont une extraordinaire richesse. Désormais, pour moi, tu seras la petite louve sylvestre de la lune noire, plus connue sous le nom de Luna!

Cet amalgame fort à propos déclencha l'hilarité de la gamine, qui se mit à rire de tellement bon cœur que Darkhan l'imita sans retenue.

— Sacrevert que je suis contente de t'avoir rencontré! s'exclama-t-elle soudain, en se blottissant contre lui. On ne se quittera plus, n'est-ce pas?

Darkhan fut touché par cette marque de tendresse inattendue et, maladroitement, il serra la gamine contre lui. Mais comment lui avouer que sa place n'était pas aux côtés d'un guerrier? Maintenant qu'il était libre, Darkhan devrait accomplir sa mission et c'était bien trop dangereux pour s'encombrer d'une adolescente.

— Tu vas rester avec moi, hein? réitéra Luna, les yeux remplis d'espoir.

Darkhan se mordit la lèvre inférieure. Comment lui dire la vérité sans la blesser?

— Eh bien, heu… en fait, je dois absolument retourner en ville, car j'ai une mission à accomplir…

— Une *mission*! répéta Luna, pleine d'admiration.

— Oui, le roi de Laltharils, Hérildur, m'a demandé un énorme service et je ne peux pas le décevoir. Tu comprends, il y a des décennies de cela, les elfes argentés ont accueilli mon père, malgré la couleur de sa peau. Ils ont dépassé leurs préjugés pour lui accorder leur confiance. C'était la première fois qu'un drow intégrait leur société. Mon père a même épousé l'une des filles du roi.

— Sainte Putréfaction! s'émerveilla la gamine. Tu es le petit-fils du roi... Un véritable prince, alors!

— C'est exact. Et aujourd'hui, c'est à mon tour d'aider les elfes argentés. Seul un drow pouvait se rendre à Rhasgarrok sans éveiller les soupçons, alors je me suis immédiatement porté volontaire.

— Pourquoi n'est-ce pas ton père qui a été choisi? s'enquit Luna.

— Il aurait bien voulu, mais c'est moi que le Conseil a désigné. Cette mission est extrêmement périlleuse et je suis plus jeune et agile que Sarkor. J'ai plus de chances d'en sortir vivant.

— Oh, je vois, fit Luna, impressionnée. Et en quoi consiste ta mission?

— Eh bien, c'est un peu compliqué, fit Darkhan, embarrassé. Je pense que tu es encore trop jeune pour tout comprendre...

En réalité, il n'avait pas envie que Luna dévoile ses intentions au premier drow venu, ni qu'elle crie sur tous les toits que les elfes argentés avaient envoyé un guerrier drow détruire la stase du Néphilim!

— Bigredur! Si tu m'expliques avec des mots simples, je vais comprendre, je t'assure!

— Oui, mais… tu vois, ma mission doit rester secrète et…

— Tu ne veux pas m'en parler! C'est bien ça? comprit Luna, avec stupeur. Tu ne me fais pas confiance? Cornedrouille! Tu as peur que je te trahisse, hein, avoue-le! Pourtant, moi, je t'ai accordé ma confiance : je t'ai libéré, je t'ai montré mon passage secret et je t'ai raconté toute mon histoire sans rien te cacher! Tu me déçois terriblement, Darkhan!

Le ton de l'adolescente était tellement sérieux que Darkhan faillit pouffer de rire. Mais il ne voulait pas que Luna croie qu'il se moquait d'elle, d'autant plus qu'elle avait entièrement raison. Décidément, cette gamine était d'une maturité étonnante. Darkhan craqua.

— D'accord, tu as gagné! Je vais t'expliquer pourquoi je suis ici. Mais il faut me promettre de n'en parler à personne! Juré?

— Nom d'une feuille morte! C'est promis, Darkhan!

Un grand sourire illumina le joli visage de Luna, qui cala aussitôt son menton dans ses mains jointes pour mieux écouter les confidences de son nouvel ami.

— Avant tout, il faut que tu comprennes que les drows détestent tous les elfes de la surface. De temps en temps, il leur arrive de sortir de leurs maléfiques souterrains pour s'en prendre à leurs lointains cousins, qu'ils n'hésitent pas à tuer ou à capturer pour en faire des esclaves ou les offrir en sacrifice à leur déesse. Mais voilà, il y a quelques années, les drows sont passés à la vitesse supérieure et un de leurs puissants sorciers a envoyé un Néphilim sur Laltharils.

— Un... quoi?

— Les Néphilims sont des créatures élémentaires qui n'ont pas de corps. Il est par conséquent très difficile de détecter leur présence et de les tuer, sauf si on trouve leur stase. C'est un objet magique qui contient leur essence. La stase est le fondement même du Néphilim : si on la détruit, le Néphilim meurt aussitôt.

— Tu es donc venu à Rhasgarrok pour détruire la stase du démon qui s'en prend aux elfes de lune.

— Exactement! Mais c'est une mission très périlleuse et... je ne veux pas que tu sois mêlée à cette histoire. Je préfère y aller seul...

Le sourire de Luna s'effaça d'un coup. Impassible, elle riva ses grands yeux clairs dans les siens, comme si elle cherchait à sonder son âme. Darkhan en frissonna.

— Je comprends! déclara-t-elle soudain.

Le guerrier, qui s'attendait à une nouvelle crise, fut quelque peu décontenancé.

— Tu as raison! continua-t-elle. Demain, tu vas t'en aller pour dénicher cette fameuse stase, et moi, je partirai de mon côté pour retrouver ma mère. Ça me semble raisonnable!

— Raisonnable? s'étrangla Darkhan. Tu comptes te balader dans les rues de Rhasgarrok à la recherche d'une esclave dont tu ne sais rien? Mais tu n'auras pas fait deux pas qu'un drow, un urbam ou même un orque te tombera dessus pour te livrer aux prêtresses! C'est de la folie, Luna! Tu dois renoncer à cette idée!

— C'est gentil, Darkhan, de t'inquiéter pour moi, déclara-t-elle avec condescendance. Mais je n'ai plus personne dans la vie, seulement l'espoir de retrouver ma mère... Alors, rien ne me fera changer d'avis, bigrevert!

Darkhan la regarda en serrant les dents. Il savait pertinemment que sans son aide, jamais la gamine ne survivrait deux minutes dans la cité drow. Les dangers, bien réels, l'attendraient à chaque coin de rue et la couleur de sa peau en ferait une proie facile, une proie de choix!

Quand le guerrier ouvrit la bouche, sa décision était prise. Même s'il savait que tôt ou tard, il regretterait ses paroles, il déclara :

— Tu m'as bien dit que ton père était noble, n'est-ce pas? Eh bien... c'est justement dans la partie basse de la ville, où vit la noblesse, que je dois me rendre. Alors, que dirais-tu qu'on fasse un petit bout de chemin ensemble?

— Merci, Darkhan! s'écria aussitôt Luna en le serrant de nouveau contre lui. Je savais bien que tu finirais par dire ça…

Darkhan ne put s'empêcher de sourire. Il venait de comprendre, mais un peu tard, que l'adolescente l'avait piégé en beauté. Elle n'avait jamais eu l'intention d'y aller seule, elle attendait simplement qu'il accepte de l'accompagner!

Derrière son apparente candeur, Luna était une gamine remarquablement intelligente, et suffisamment astucieuse pour parvenir à ses fins.

— Dis donc, tu es une sacrée chipie, toi! fit-il en éclatant de rire. J'ai rarement vu une gamine aussi débrouillarde que toi… Au fait, à ce propos, tu ne m'as toujours pas dit comment tu avais finalement réussi à déplacer la grille qui obstruait ma cellule?

— Oh, ça? dit Luna en levant les yeux au ciel. Bigrevert! Je n'en sais rien du tout… J'étais en train de regarder la grille et je crois que mon âme désirait de toutes ses forces qu'elle se soulève et… c'est comme si la grille m'avait obéi! Elle s'est envolée toute seule et je n'ai eu qu'à diriger mes yeux vers l'étang pour que la grille y tombe.

Darkhan la dévisagea, incrédule.

— Tu crois que c'est de la magie? demanda-t-elle, vaguement inquiète.

— C'est possible, répondit-il en haussant les épaules. Ça ressemble à de la télékinésie. C'est une force mentale capable de déplacer des objets sans les toucher, même les plus lourds. Tu penses que tu pourrais le refaire?

— Fichtrenon! Et puis, je ne sais pas si j'en ai vraiment envie. Tout cela m'effraie un peu.

En réalité, ce dont Luna avait peur, c'était que cet incontrôlable pouvoir grâce auquel elle avait occis les deux urbams ne surgisse de nouveau. Si jamais cela se reproduisait, serait-elle capable de contrôler sa force? Ne risquait-elle pas de tuer son nouvel ami?

Darkhan passa sa main dans les cheveux argentés de Luna.

— Tu sais quoi? Nous devrions nous reposer quelques heures avant de trouver un chemin pour nous rendre en ville. Je crois que l'un comme l'autre, nous avons besoin de sommeil…

Darkhan s'allongea et Luna vint se lover près de lui. La tiédeur de son frère loup lui manquait cruellement, mais elle se sentait rassurée auprès du guerrier.

Quelle chance elle avait eue de tomber sur Darkhan! Après trois ou quatre longs jours de solitude à errer dans cet interminable tunnel, elle avait pointé son nez dans cette immense caverne et découvert le lac souterrain. Et si le drow n'avait pas hurlé en invoquant Eilistraée au moment pile où elle s'aventurait par là, jamais elle n'aurait vu la grille et encore moins soupçonné que quelqu'un croupissait là-dessous…

Luna songea alors aux étonnants pouvoirs qu'elle semblait posséder. Avant la tragédie qui avait coûté la vie à la meute, jamais elle n'avait manifesté la moindre aptitude pour la magie. Jamais elle n'avait soulevé le moindre objet par sa seule pensée. Jamais elle n'avait tué personne non plus! Mais Luna ne voulait plus y penser. Ces choses bizarres l'effrayaient vraiment trop!

Malgré la fatigue qui commençait à embrumer son esprit, la petite elfe toucha son médaillon, bien caché sous sa tunique, et se mit à prier la bienfaisante déesse en secret. Elle voulait la remercier d'avoir placé Darkhan sur sa route.

Elle se demanda alors si elle devait montrer cette amulette à son nouvel ami. Après tout, lui aussi croyait en Eilistraée, tout comme sa mère… Elle hésita et décida qu'il serait toujours temps de lui en parler plus tard, s'ils sortaient un jour de Rhasgarrok…

Soudain, une pensée l'alerta.

— Darkhan? Tu dors?

Le guerrier grogna avant de tourner la tête vers elle.

— Plus maintenant! Qu'y a-t-il, Luna?

— Demain, les gens ne vont pas trouver ça bizarre que tu sois accompagnée d'une elfe de lune? Tu risques d'avoir des problèmes, non?

Le sourire de Darkhan rassura l'adolescente.

— Ne t'inquiète pas pour ça. Nous trouverons bien une solution. On dit que la nuit porte conseil. Alors, dors, petite louve, dors vite!

13

Lorsque Luna ouvrit les yeux, elle était toute seule.

« Nom d'un marron! Darkhan n'est plus là! » songea aussitôt l'adolescente, croyant que le guerrier l'avait abandonnée, trompée, trahie.

Même si son cœur lui criait le contraire, elle devait se rendre à l'évidence : le drow qui se disait différent des autres lui avait menti. Il ne tenait pas à s'encombrer d'une gamine. Sa mission était capitale pour les elfes de lune, et après tout, il n'allait pas mettre ses projets en péril pour une simple adolescente. Mieux valait l'abandonner à son sort et tant pis si elle se faisait tuer. Mieux valait tenter de sauver des milliers de vies plutôt qu'une seule!

« Ventrevert! pesta Luna. Il aurait pu me le dire franchement plutôt que de s'enfuir pendant mon sommeil! Quel traîtrard! Jamais je n'aurais cru ça de lui… Mon instinct commence à me jouer des tours! »

Mais lorsque la silhouette imposante du guerrier surgit soudain devant elle, Luna oublia d'un coup tous ses griefs pour lui sauter au cou.

— Darkhan! Où étais-tu passé, bigredur? J'ai bien cru que tu m'avais laissée tomber!

— Luna! la réprimanda-t-il gentiment. Il faudra que tu apprennes à me faire confiance. Je t'ai dit que nous irions ensemble dans le quartier des nobles et c'est ce que nous allons faire. Moi, je tiens toujours mes promesses, contrairement aux autres drows. Mais je ne pouvais raisonnablement pas te laisser te balader comme ça : une adolescente blanche comme la lune vêtue d'un manteau en peau de lapin, ça ne passe pas inaperçu! Tu me l'as toi-même fait très justement remarquer hier soir. Alors, j'ai trouvé l'issue et je suis allé en ville voler quelques accessoires nécessaires à ta... métamorphose.

— À ma métamor quoi? grimaça Luna en plissant le nez.

— Allez, ne perdons pas de temps. Enlève ton manteau et enfile ces vêtements. Ils ne sont pas de première fraîcheur et seront sans doute un peu grands pour toi, mais ça devrait faire l'affaire…

Luna, ravie de changer de tenue, s'exécuta aussitôt. De sa vie, elle n'avait jamais eu que trois ou quatre tuniques que le Marécageux lui avait confectionnées en rapiéçant quelques bouts de tissus, et son manteau pour l'hiver était également un cadeau de l'elfe sylvestre.

— Voilà, j'ai presque fini! annonça Darkhan à Luna, qui commençait à s'impatienter. Arrête de bouger deux secondes! Encore là… une petite touche par ici… Maintenant, personne ne pourra soupçonner ta vraie nature!

Le guerrier se recula de quelques mètres et contempla l'adolescente en souriant.

— L'illusion est parfaite! s'exclama-t-il, fier de lui. Maintenant, à mon tour!

Darkhan fit voler une grande cape sombre qui recouvrit entièrement sa cotte de mithril.

— Allez, prends ton sac et allons-y. Nous n'avons plus une minute à perdre!

Darkhan et Luna descendirent du promontoire rocheux sans difficulté. Avant de traverser la caverne, le guerrier scruta la zone avec attention. Apparemment, personne ne le cherchait encore. Il s'apprêtait à contourner le petit lac quand Luna fonça droit vers les eaux noires et stagnantes.

— Luna! s'écria-t-il à voix basse. Que fais-tu? Reviens tout de suite!

Mais la gamine, faisant la sourde oreille, poursuivit sa course en direction de l'étang. Elle ne s'arrêta qu'à quelques centimètres du bord pour se pencher au-dessus du miroir d'obsidienne. En apercevant son reflet, Luna reçut le choc de sa vie.

Son reflet? Non, celui d'une jeune drow qui la regardait, ébahie.

— Eh, Darkhan! fit-elle en se retournant vers le guerrier qui arrivait en courant. Par le Gland Sacré, tu as accompli un vrai miracle! Je ressemble comme deux gouttes d'eau à une elfe noire, c'est incroyable!

— Tu vois, fit l'homme, je t'avais bien dit que la nuit portait conseil! La nuit et un petit tour dans les maisons : une longue robe, une cape noire, des bottes, même si elle ne sont pas en très bon état et surtout… de la suie sur ta jolie frimousse, tes oreilles, ton cou et tes bras et le tour est joué! Te voilà métamorphosée. Ça te plaît?

Luna approuva en dodelinant de la tête. Elle en profita pour admirer au passage sa longue crinière argentée, qui ressortait avec plus d'éclat encore sur sa peau d'ébène. Le contraste était saisissant et l'adolescente dut s'avouer qu'elle se trouvait très jolie ainsi.

— Maintenant, reprit Darkhan, nous allons pénétrer dans les faubourgs mal famés de

Rhasgarrok, alors reste bien à côté de moi. Et n'oublie pas, comporte-toi comme une vraie petite drow, arrogante et hautaine. Ne souris pas, ne parle pas non plus. Aucun mot! Ta voix douce et tes expressions étranges te trahiraient immédiatement. Compris?

Luna hocha la tête en emboîtant le pas au guerrier.

Les ruelles éclairées par des braseros étaient désertes à cette heure matinale. Darkhan avait tenu à ce qu'ils se mettent en route assez tôt pour prendre un peu d'avance, car bientôt, les gardes de Matrone Zesstra viendraient chercher leur future offrande et le quartier serait sens dessus dessous lorsqu'ils découvriraient que Darkhan n'était plus dans sa misérable cellule. Est-ce qu'Oloraé serait jugée complice de son évasion et sacrifiée à sa place? Pas impossible, mais tant pis! Après tout, elle l'avait bien cherché. Malgré sa troublante sensualité, la sorcière était comme toutes les autres drows, cruelle et insensible. Jamais Darkhan n'aurait pu éprouver quoi que ce soit pour une femme aussi cupide et sans pitié. Du moins, il essayait de s'en persuader…

Le guerrier et sa jeune protégée progressaient lentement dans les faubourgs de la tentaculaire cité, n'hésitant pas à faire quelques détours pour éviter les venelles trop sombres ou les attroupements suspects.

Darkhan ne savait absolument pas où ils se trouvaient, puisque Oloraé l'avait endormi avant de l'emprisonner dans ce coin reculé de la ville. Mais il était néanmoins fort probable qu'en suivant les ruelles tortueuses qui commençaient à se peupler, il ne tarderait pas à tomber sur quelque place populeuse où il lui serait aisé de demander son chemin. Pour le moment, mieux valait avancer sans se faire trop remarquer.

Par ici, les maisons tombaient en ruine et, çà et là, des plaques de tôle abritaient des cabanes de fortune. Certaines créatures, enroulées dans des couvertures crasseuses, dormaient à même le sol, à deux pas des écoulements nauséabonds qui ruisselaient au milieu de la chaussée.

Ils traversèrent plusieurs places sordides, où quelques marchands à la mine patibulaire étaient en train de s'installer.

« Sûrement des articles de contrebande, des denrées illicites ou le fruit de menus larcins... », songea Darkhan avec une moue de dégoût.

Quelques regards envieux se posèrent sur eux et Darkhan pressa le pas. Il n'avait pas envie qu'on les égorge au prochain coin de rue pour les détrousser.

— Dépêchons-nous de quitter cet endroit… Il ne m'inspire guère confiance!

Respectant ses recommandations, Luna resta silencieuse et regarda droit devant elle. Tout lui semblait tellement bizarre. Comment des gens pouvaient-ils vivre ici, sous la terre, dans le noir, la crasse et la puanteur? La tanière de Shara était bien plus confortable que ce trou à rat et les marais de Mornuyn sentaient presque meilleur! Luna avait en réalité beaucoup de mal à s'imaginer que des nobles pouvaient vivre dans de telles conditions. À moins que les quartiers *d'en bas* ne soient différents…

Lorsqu'ils arrivèrent enfin à un carrefour fréquenté, Darkhan s'approcha d'un panneau dont les bras indiquaient différentes zones de Rhasgarrok : niveaux supérieurs, port, marchés aux esclaves, souks, niveau inférieur (uniquement sur laissez-passer).

— C'est par là! décréta Darkhan en s'engageant vers le marché aux esclaves.

— Mais, je croyais qu'on allait dans les quartiers nobles…

— Chut! Laisse-moi faire… Tu vois ce qui est écrit ici? Il nous faut un laissez-passer… or, je n'en ai pas. Je dois m'en procurer un, ou plutôt *nous* en procurer un…

Dans les rues, plus larges et plus propres, déambulait une foule cosmopolite. Les passants, qu'ils soient orques, drows, gobelins ou encore humains, étaient de plus en plus nombreux et ne faisaient absolument pas attention à eux.

Lorsque Darkhan et sa protégée débouchèrent sur l'esplanade qui surplombait l'immense caverne abritant les marchés aux esclaves, l'adolescente ouvrit des yeux horrifiés.

— Ce que tu vas voir ici n'est qu'une des ignominies qu'abrite Rhasgarrok en toute impunité, lui chuchota le guerrier. Tous les mercenaires de la surface descendent là pour vendre leurs « marchandises » et trouvent parmi les riches drows d'excellents acheteurs. En réalité, on peut se procurer des esclaves un peu partout en ville, mais c'est ici qu'ont lieu les meilleures affaires. Je suis désolé que tu assistes à un spectacle aussi affligeant, Luna, sincèrement désolé, mais... je n'ai pas vraiment le choix!

Même si elle avait voulu lui répondre, Luna serait restée sans voix tellement ce qu'elle voyait la mettait mal à l'aise. Jamais elle n'aurait pu imaginer que des hommes enchaînent leurs semblables pour s'enrichir! Voilà encore quelque chose d'inconcevable chez les loups...

Darkhan et Luna empruntèrent le grand escalier pour se mêler aux acheteurs déjà en pleines négociations. Les « produits » les plus intéressants ou les plus originaux partaient comme des petits pains et chacun espérait dénicher la perle rare.

Le guerrier dut jouer des coudes pour se frayer un chemin au milieu de la foule de badauds attirés par la misère et la souffrance. Les pauvres hères, enchaînés, amaigris, regardaient passer les curieux sans vraiment les voir. La plupart s'étaient résignés au sort tragique qui s'était abattu sur eux. Certains remerciaient leurs dieux d'être encore en vie, d'autres les priaient pour mourir vite. Les captifs savaient qu'il n'y avait plus aucune issue possible et que leur vie à Rhasgarrok ne serait plus qu'un long cauchemar.

Luna, heureusement trop petite, n'apercevait presque rien des horreurs qui l'entouraient. Elle se contentait d'agripper la cape du guerrier le plus fort qu'elle pouvait pour ne pas se perdre dans cette cohue.

Tout en traversant le gigantesque marché, Darkhan observait les esclaves proposés. Il craignait de découvrir d'autres elfes de lune, mais apparemment, c'étaient des denrées trop rares pour être exposées ici.

Lorsqu'ils parvinrent à l'autre bout de la caverne, ils purent de nouveau marcher côte à côte, cette zone étant nettement moins fréquentée. Darkhan accéléra le pas.

— Arrivage tout frais! cria un humain borgne au torse recouvert de tatouages. En direct de la surface! Approchez, approchez!

Ces mots freinèrent le guerrier, qui jeta aussitôt un œil inquiet aux esclaves du trafiquant.

— Des halfelins… Ça vous intéresse? fit celui-ci par gestes à l'intention de Darkhan.

— Vous n'avez pas d'elfes argentés, plutôt? demanda le drow dans le même langage.

— Vous êtes un connaisseur, mima l'esclavagiste avec une moue d'approbation. Mais je suis en rupture de stock, actuellement. Revenez dans deux semaines! Je prépare une nouvelle expédition vers la forêt de Ravenstein, j'aurai peut-être plus de chance que la dernière fois…

L'humain lui adressa un cruel sourire puis, avisant la petite drow collée à Darkhan, il ajouta à voix haute :

— Hep, bonjour, jolie poupée! Tu accompagnes papa au marché, c'est-y pas mignon, ça! J'ai de chouettes compagnons de jeu pour toi…

— On n'est pas intéressés! riposta Darkhan.

Mais c'était sans compter l'opiniâtreté du vendeur; il tira sur la chaîne d'un tout jeune enfant en larmes qui s'affala à ses pieds.

— Faites pas votre radin! s'écria-t-il. C'est une affaire! Les gamins, c'est assez rare, mais ça se mate plus facilement! Votre fille pourra lui faire tout ce qu'elle voudra! Réfléchissez!

Mais Darkhan ne l'écoutait déjà plus. Tirant Luna par le bras, il s'enfuit vers une rue plus tranquille sous les yeux étonnés de l'esclavagiste.

Darkhan était désolé que Luna ait assisté à une telle scène. Elle était si innocente, si pure. La vie se chargerait bien assez tôt de lui faire découvrir la noirceur de ce monde...

Soudain, Luna planta ses yeux clairs dans le regard sombre du guerrier :

— Tu as vu ça, Darkhan? Cet homme a cru que tu étais mon père…

— Oui, en effet, répondit-il, l'air grave. Et si tu étais vraiment ma fille, sais-tu ce que je te demanderais de faire?

L'adolescente secoua la tête.

— Je te demanderais d'oublier tout ça, Luna. D'oublier tout ce que tu as vu et entendu…

— Fichtrenon, Darkhan! s'écria Luna, comme offensée. Tu me demandes d'oublier la souffrance de ces gens? D'effacer de ma mémoire le chagrin de cet enfant qu'on voulait me vendre? C'est impossible! Ma mère est passée par là, autrefois, et je te remercie, au contraire, de m'avoir montré cet endroit, car c'est sûrement ici qu'a débuté mon histoire…

Darkhan resta interdit. Une fois encore, la maturité de Luna le prenait au dépourvu.

Ils poursuivirent leur route en silence dans les ruelles plutôt propres de ce nouveau quartier de Rhasgarrok. Tous les trois mètres, des globes lumineux fichés dans le plafond offraient une douce clarté. Les maisons, taillées à même la roche, étaient plus imposantes, plus cossues que celles qu'ils avaient vues jusqu'à présent. Leurs façades, souvent sculptées ou ornées de motifs arachnéens, s'ouvraient sur des échoppes colorées. Les enseignes des tavernes invitaient le chaland à faire une halte dans leur établissement. Même l'air semblait plus respirable.

Apparemment, Darkhan cherchait un endroit précis, mais il semblait avoir du mal à se repérer. Luna observait, sans prononcer une seule parole malgré les milliers de questions qui lui brûlaient les lèvres. Ils croisèrent soudain un gnome à l'allure joviale. C'était suffisamment extraordinaire, dans une cité où tout le monde se méfiait de tout le monde, pour que Darkhan l'arrête et lui demande :

— Excusez-moi, sauriez-vous où se trouve l'auberge du Soleil Noir?

Sans se départir de sa mine réjouie, le petit être lui tendit une paume ouverte. Le message était clair : Rhasgarrok était le royaume de la corruption et rien n'était gratuit. Pas même la moindre petite information. Tout avait un prix.

En grommelant, le guerrier fouilla l'une de ses poches et glissa une pièce d'or dans la main crasseuse du gnome. Celui-ci la fit briller dans la lumière orangée d'un globe avant de la fourrer dans sa tunique. Puis, il sembla hésiter :

— Hum, je ne sais plus trop… En fait, je crois que je n'ai jamais su! Le Soleil Noir, vous dites? Non, ça ne me dit rien… Dommage!

Furieux, Darkhan saisit l'arnaqueur par le col de sa tunique et le secoua comme un prunier. Les jambes courtaudes du gnome pédalèrent dans le vide.

— Du calme! C'était une blague! s'écria le petit bonhomme écarlate. Descendez-moi de là immédiatement!

Le drow s'exécuta, mais posa la main sur la garde de son épée pour lui faire comprendre qu'il ne plaisantait pas.

— L'endroit que vous cherchez se trouve à deux pas d'ici! Inutile de s'énerver… Tournez à droite au prochain carrefour, dépassez la boutique de Grim le bottier, et ensuite prenez la troisième à gauche, c'est juste là... Mais, je vous préviens, il y a tout ce qu'il faut, là-bas! ajouta-t-il en jetant un regard lubrique à Luna. Pas la peine d'apporter sa *marchandise*...

Content de lui, le gnome éclata d'un rire gras. Il n'eut pas le temps de voir le poing de Darkhan s'abattre sur sa trogne, lui brisant deux dents au passage. Ça lui passerait peut-être l'envie de sourire, à ce dépravé!

Finalement, même quand ils souriaient, les habitants de Rhasgarrok étaient tous de sales types peu recommandables.

— Pourquoi l'as-tu frappé? l'interrogea Luna, qui n'avait pas tout compris.

— Chut, Luna! coupa Darkhan, embarrassé, en posant un doigt sur sa bouche. Ne dis plus rien, sinon, nous allons nous faire remarquer. Allez, en route. Là-bas, nous serons en sécurité.

L'adolescente obtempéra, même si elle se demandait comment on pouvait être *en sécurité* dans une ville pareille!

Arrivés au carrefour, ils prirent à droite, longèrent la ruelle mal éclairée, passèrent la boutique du bottier et comptèrent les rues à gauche. Une, deux, trois. L'auberge du Soleil Noir ne devait plus être bien loin. Darkhan commençait à se détendre.

Mais une voix, dans son dos, le cloua sur place.

— Tiens, mon champion, comme on se retrouve!

— Oloraé? s'écria Darkhan en se retournant d'un bond.

La sorcière lui faisait effectivement face, bras croisés, ses prunelles rouges rivées sur lui.

Luna en resta bouche bée. Elle n'avait jamais vu une femme aussi belle de toute sa vie. C'était une drow aux yeux écarlates. Ses cheveux d'ébène nattés et relevés mettaient son visage fin en valeur. Elle portait une combinaison noire, une armure sûrement, qui soulignait sa silhouette élancée et, par-dessus, une immense cape rouge. Deux sabres impressionnants pendaient le long de ses cuisses. Elle avait l'air redoutable, entourée de ses quatre urbams grimaçants.

Pris de panique, Darkhan fit un pas en avant pour tenter de dissimuler Luna, mais c'était trop tard.

— Voyez-vous ça, persifla la drow, apparemment ravie. Quel spectacle attendrissant! Le beau Darkhan accompagné de sa progéniture. J'avoue que c'est touchant! C'est pour cette raison que tu tenais absolument à retrouver ta liberté, n'est-ce pas? Pourquoi ne me l'as-tu pas dit plus tôt? J'aurais peut-être eu pitié de toi...

Luna sourcilla. Était-ce cette femme qui avait emprisonné Darkhan dans sa sordide cellule? Quoi qu'il en soit, elle aussi la prenait pour la fille du guerrier.

— La pitié est un sentiment que tu es incapable d'éprouver! répliqua Darkhan avec mépris.

— Oui, et Lloth m'en préserve! ricana Oloraé. La pitié est l'apanage des lâches et des faibles, de ceux qui n'ont pas le courage d'achever leurs adversaires, par exemple! Et sais-tu quel sort je réserve à ceux qui me déçoivent?

— Je pense en avoir une petite idée, fit Darkhan en dégainant sa longue épée.

— Rends-toi, pauvre imbécile! Tu n'as aucune chance, cette fois-ci : nous sommes cinq contre un et toi, tu as un sacré handicap. N'est-ce pas, ma mignonne, tu n'aimerais pas voir ton petit papa découpé en morceaux?

Le pouls de l'adolescente s'accéléra.

Cette femme voulait tuer Darkhan! En fait, malgré sa beauté, elle était aussi mauvaise que cette elfe noire qui avait assassiné Zek! Et comme Zek, Darkhan allait devoir se battre pour sauver sa vie.

Luna lâcha immédiatement la cape du guerrier lorsqu'il s'élança en direction des deux premiers urbams. Elle recula et courut se cacher dans l'encoignure d'une porte. Elle vit Darkhan trancher le cou des urbams d'un seul coup d'épée. Luna, horrifiée, détourna les yeux pour ne pas voir les têtes rouler dans le caniveau.

Oloraé, furieuse, dégaina ses sabres et se jeta sur le guerrier. Dans la pénombre, les lames se mirent à étinceler d'une inquiétante lueur rouge, comme si elles étaient chauffées à blanc. Darkhan para le coup et riposta, mais il devinait que les armes de son adversaire avaient été ensorcelées et que le combat serait rude.

— Tu vois, champion, j'aurais pu te neutraliser grâce à ma magie, mais j'ai décidé de me battre à la loyale! lança Oloraé en faisant danser ses sabres avec une dextérité que Darkhan n'aurait pas soupçonnée. Finalement, tu as fini par déteindre sur moi…

Luna, tapie dans son coin, ne perdait rien du combat et tremblait à chaque seconde pour la vie de son ami. Darkhan enchaînait les coups avec habileté, certes, mais cette femme se battait redoutablement bien.

— Tes sabres ne sont pas vraiment réglementaires, sorcière! rugit le guerrier en évitant de justesse le tranchant d'une des lames rougeoyantes.

— Ah, tu as remarqué? Tu devrais être fier, pourtant, je les ai enchantées spécialement pour toi! Avec ton sang!

— Je croyais qu'il devait être versé en l'honneur de Lloth! se moqua Darkhan en effectuant une botte qu'Oloraé contra avec facilité.

— Ces lames sont dressées contre *toi!* Tu ne peux pas leur échapper! déclara la drow en toisant son adversaire avec mépris.

« Cornedrouille! s'effraya Luna. Il faut absolument que je lui vienne en aide, mais comment? Je n'ai ni arme, ni armure… »

La gorge nouée, Luna se sentit soudain terriblement inutile… À moins qu'elle n'arrive à faire appel à cette force mystérieuse qui avait terrassé les assassins de la meute?

Luna ferma aussitôt les yeux pour se concentrer. Elle essaya de puiser au plus profond d'elle-même toute la colère et la rage qu'elle avait emmagasinées depuis la mort des siens. Elle revit le corps ensanglanté de Zek, les corps sans vie de Shara et des louveteaux, la silhouette ivoire d'Elbion foudroyé par l'urbam.

— Serais-tu en train de commettre un sacrilège? souffla le guerrier à Oloraé sans la quitter des yeux. Si tu me tues, Matrone Zesstra t'en voudra terriblement.

Soudain, Luna se sentit soulevée et attribua cette sensation à l'étrange force qui prenait possession de son corps. Mais une main puante vint se plaquer contre sa bouche, l'empêchant presque de respirer! Prise de panique,

Luna ouvrit les yeux et tomba nez à nez avec le visage pustuleux d'un des urbams. Elle tenta de se débattre, mais la créature la maintenait fermement et tous ses efforts pour se libérer furent vains.

— La déesse aura son dû, rassure-toi! À ta place, je ferais moins le malin! s'exclama Oloraé, victorieuse. Car j'ai beaucoup mieux à offrir à la grande prêtresse, maintenant : le sang de ta fille!

L'esprit de Darkhan se figea.

Luna! Où était-elle passée?

Le guerrier, paniqué, chercha la gamine du regard. Luna vit alors les sabres de la femme s'envoler vers son ami! Mais Darkhan les aperçut trop tard pour esquiver le coup correctement. Il ne parvint qu'à dévier l'une des lames, qui roula dans un fracas métallique sur les pavés de la ruelle; l'autre vint s'abattre violemment sur sa cuisse, faisant fondre les mailles de mithril et brûlant sa chair en profondeur. Darkhan hurla de douleur. Luna, révoltée, planta ses dents pointues dans le bâillon vivant qui la muselait. L'urbam grogna, attirant l'attention de Darkhan, qui tourna la tête dans sa direction. Son visage se décomposa.

— Tu es pire encore que toute la vermine qui peuple cette cité maudite! s'écria le guerrier, plein de rage. Si tes monstres touchent un seul de ses cheveux, Oloraé, je te torturerai jusqu'à la fin de ta vie!

Un rire cruel fit écho à la menace du guerrier.

— Ah? C'est ce qu'on va voir, champion! Worgh, Graghn! lança la sorcière à l'intention des urbams. Cette jolie poupée est à vous! Amusez-vous avec elle autant que vous voulez, mais ne l'abîmez pas trop, sa vie est pour Lloth!

Le sang de Luna se figea. Elle tenta de se débattre de plus belle, mais l'urbam avait déjà resserré sa puissante étreinte.

— NOOOON! hurla Darkhan en se précipitant vers l'un des deux monstres.

C'était exactement ce que sa démoniaque adversaire attendait. Ses yeux incandescents se plissèrent de plaisir quand elle enfonça son sabre dans... les côtes de l'urbam, qui s'affaissa en gémissant comme un pourceau.

Darkhan avait esquivé de justesse, se servant du corps trapu de la créature comme d'un bouclier. Oloraé jura de colère et retira le sabre sanglant planté dans son garde du corps. Mais elle n'eut pas le temps d'éviter le puissant coup de pied que lui asséna Darkhan malgré sa blessure à la cuisse. La sorcière tomba à la renverse, le souffle coupé.

Darkhan se retourna de nouveau vers Luna. Ce qu'il vit le terrassa. Le monstre affichait un sourire pervers et l'une de ses paumes était devenue incandescente.

— Si toi bouger, moi brûler elle! Mais pas mourir, juste avoir très mal! ricana méchamment l'urbam.

Darkhan était tétanisé. Il savait que s'il tentait quoi que ce soit, l'horrible garde n'hésiterait pas une seule seconde à mettre sa menace à exécution. Il allait devoir ruser.

Soudain, le guerrier sentit la lame d'Oloraé lui brûler la nuque.

— Je ne sais pas quelle déesse tu priais avec autant de ferveur, hier dans ta cellule, mais je crois qu'elle t'a laissé tomber, champion...

Luna sentit la panique la gagner. Cette monstrueuse drow allait le tuer! Alors elle ferma de nouveau les yeux et puisa au fond d'elle-même. C'était maintenant ou jamais!

Soudain, l'adolescente sentit une formidable vague de haine la submerger. Elle comprit immédiatement que la force était revenue. Elle la sentit grandir en elle avec délectation. De simple étincelle qu'il était au début, le pouvoir qui l'habitait embrasait à présent tout son être. Luna laissa alors sa puissance éclater et l'onde jaillir hors de son corps.

— Matrone Zesstra devrait particulièrement apprécier de sacrifier ta fille! ajouta Oloraé. Elle saura sûrement me récomp...

Une terrible déflagration l'empêcha de terminer sa phrase.

La puissance de l'orbe d'énergie propulsa la sorcière ainsi que son serviteur contre le mur derrière eux. La tête de l'urbam percuta une grosse pierre d'angle. Son crâne se fendit dans une gerbe écarlate.

Sans comprendre le prodige dont il était témoin, Darkhan vit une sorte de brume s'enrouler autour du corps meurtri d'Oloraé pour l'étreindre dans un mortel baiser. Avant que la sorcière n'ait la force de réagir, le nœud se resserra autour de son cou. Dans un ultime sursaut de vie, la drow tenta d'aspirer une dernière gorgée d'air, puis ses yeux se révulsèrent et un filet de sang glissa le long de ses lèvres carmin.

Darkhan, abasourdi, se tourna vers Luna.

La gamine s'était évanouie. Pas étonnant, avec toute l'horreur dont elle venait d'être témoin. Le guerrier la prit délicatement dans ses bras avant de s'enfuir en direction du Soleil Noir.

14

Lorsque Luna rouvrit les yeux, Darkhan, penché sur elle, la regardait avec tendresse.

— Salut, jeune fille, dit-il d'une voix douce. Ça va? Tu es en sécurité, maintenant.

Perplexe, Luna regarda autour d'elle. Elle était allongée sur un lit plutôt confortable, dans une pièce à la décoration austère mais propre.

— Où sommes-nous? Que s'est-il passé? demanda-t-elle en bâillant.

— Nous sommes à l'auberge du Soleil Noir. J'ai pris une chambre pour que tu te reposes un peu. Je crois qu'aujourd'hui, tu as eu ta dose d'émotions, non?

Luna se redressa pour s'asseoir sur les couvertures et l'examina avec gravité.

— Comment va ta cuisse? lui demanda-t-elle d'abord.

— Pas trop mal. Edryss, la patronne, m'a donné un onguent apaisant.

L'elfe acquiesça avant de reprendre son interrogatoire :

— Qui était exactement cette Oloraé qui nous a attaqués?

— Une mauvaise rencontre! répondit Darkhan en souriant tristement. Lorsque je suis arrivé à Rhasgarrok, il y a quatre jours, cette satanée drow m'a tendu un piège et obligé à me battre contre ma volonté. Elle m'a forcé à affronter des gladiateurs pour retrouver ma liberté. Mais le dernier duel a mal tourné et la grande prêtresse de Lloth a failli être blessée. En dédommagement, Matrone Zesstra a demandé ma tête. J'imagine que lorsque Oloraé a constaté que je n'étais plus dans ma cellule, elle a dû entrer dans une rage folle et qu'elle est aussitôt partie à ma recherche.

— Elle voulait te tuer et me sacrifier à ta place, c'est ça?

Darkhan eut une moue embarrassée, mais la gamine était tellement mature qu'il préféra lui avouer toute la vérité.

— Exactement! Alors, lorsque je t'ai vue entre les mains de cet urbam, j'ai eu très peur pour toi. Tu sais, j'étais vraiment prêt à mourir pour te sauver la vie…

— Et ta mission, bigrevert?

— Pour être franc, je n'y ai pas pensé une seule seconde! Seule ta vie comptait…

— Tu n'aurais pas agi différemment si tu avais été mon père, comme le croyait cette drow…

— En effet… Et puis, il y a eu ce phénomène bizarre! C'était comme si une main invisible avait projeté Oloraé contre un mur avant de l'étrangler. J'ignore ce que c'était, mais je n'avais jamais vu ça auparavant. C'était d'une puissance incroyable! Peut-être Eilistraée...

— Non, c'était moi, s'excusa presque l'adolescente.

Le guerrier sursauta.

— Hein? Qu'est-ce que tu racontes?

— Je ne sais pas comment j'y arrive. Mais cette force, c'est de moi qu'elle sort!

— C'est impossible! Tu as peut-être eu cette impression, mais… toi, tu étais évanouie lorsque je t'ai récupérée. Comment voudrais-tu qu'une jeune fille soit capable de… de…

— Je sais que ça semble fou, cornedrouille! insista Luna. Mais ça s'est déjà produit lorsque les deux urbams ont massacré ma famille loup : en voyant le carnage, j'ai senti une vague de colère et de haine s'emparer de moi. Puis il y a eu une explosion phénoménale et… je crois qu'ils sont morts sur le coup!

Darkhan fut tellement abasourdi par cette révélation qu'il en resta muet de stupeur.

— La première fois, je ne pouvais rien contrôler, continua Luna. J'ai à peine compris ce qui se passait. Mais cette fois-ci, ventredur, c'est moi qui suis allée puiser cette puissance au fond de mon âme pour qu'elle se déchaîne sur nos agresseurs.

— Ça alors! s'étonna Darkhan, les yeux écarquillés. Mais... comment savais-tu que moi, je ne risquais rien?

Un beau sourire illumina le visage toujours couvert de suie de Luna.

— Nom d'un marron, je ne me suis même pas posé la question! Je voulais juste que ces monstres arrêtent de nous faire du mal, c'est tout!

— Eh bien! lança le guerrier en éclatant de rire devant tant de candeur. Je préfère faire partie de tes amis plutôt que d'avoir à t'affronter en duel! Tu es une fille pleine de ressources insoupçonnées. C'est fabuleux!

— Ça, plus le coup de la grille... Tu penses que je suis une magicienne? s'étonna Luna.

— Difficile à dire, fit l'elfe noir en gonflant ses joues. Tu m'as bien dit que ton père appartenait à la noblesse, n'est-ce pas? Peut-être que c'est un sorcier puissant et que tu as hérité de ses dons? En tout cas, rares sont les personnes capables d'effectuer de telles prouesses!

Le guerrier marqua une pause, songeur.

— Au fait, as-tu faim? Il paraît qu'ils préparent de délicieuses potées, ici, ça te tente?

L'adolescente, affamée, bondit hors du lit, acceptant avec plaisir la proposition de Darkhan.

Ils se rendirent au rez-de-chaussée de l'auberge et s'assirent dans un recoin sombre, loin des autres clients. La jolie patronne, une drow aux yeux couleur d'ambre d'un certain âge, s'approcha d'eux en ondulant des hanches. Darkhan commanda deux portions de la spécialité de la maison et un pichet d'eau.

La femme acquiesça, puis, se penchant vers Luna, elle ajouta à voix basse :

— Alors, mignonne, ça va mieux? Tu avais mauvaise mine lorsque ton père t'a conduite ici tout à l'heure. Tu t'es bien reposée?

— Heu... oui! répondit Luna, légèrement surprise.

— Vu les circonstances, chuchota l'aubergiste à Darkhan, je vais accélérer la procédure pour vous obtenir les laissez-passer plus rapidement. Je pense que vous les aurez demain, dans l'après-midi. Ça ira?

Le guerrier eut une moue embarrassée.

— De toute façon, nous n'avons pas le choix. C'est déjà très gentil de faire ça pour nous…

— C'est normal. Moi aussi je tenterais tout pour sauver ma fille, si j'en avais une…

Après leur avoir adressé un sourire complice, la patronne se fondit dans la masse des clients pour prendre d'autres commandes. Luna plissa le nez et braqua ses yeux clairs sur Darkhan.

— Qu'est-ce que c'est que cette histoire, cornedrouille? souffla-t-elle. Que lui as-tu raconté, Darkhan?

— Chut, pas si fort! lui intima-t-il. Je t'expliquerai tout ça là-haut. Il y a trop de monde, ici, et certains drows savent lire sur les lèvres, méfions-nous!

Luna se renfrogna, mais cela ne l'empêcha pas de dévorer l'excellente potée qu'on lui servit. Elle lui rappelait les fameux ragoûts du Marécageux. Luna prit alors conscience que le vieil elfe sylvestre lui manquait terriblement, mais pas autant qu'Elbion, son beau loup blanc, son ami, son frère… Une soudaine vague de nostalgie s'empara de l'adolescente, qui dut faire d'énormes efforts pour ne pas fondre en larmes. Elle ne voulait pas pleurer de nouveau devant Darkhan. Question de fierté. D'autre part, elle savait que Rhasgarrok lui réservait bien d'autres épreuves et qu'elle devrait se montrer forte. Elle prit donc sur elle, ravala ses sanglots et termina son repas en silence.

De retour dans la chambre, Darkhan s'assit sur le lit et fit signe à Luna de venir s'installer à côté de lui.

— Il est temps que je t'explique certaines choses, Luna. C'est mon père, Sarkor, qui m'a conseillé de venir à cette auberge. Il savait de source sûre que la propriétaire délivrait, moyennant rétribution, de faux laissez-passer. Je devais donc venir ici, obtenir ce fameux papier et filer au niveau inférieur... mais je devais être *seul*! Or je débarque avec une gamine évanouie dans les bras et, surtout, pas d'argent pour *ton* laissez-passer!

— Alors tu as inventé une histoire pour attendrir la patronne?

— Oui, confessa Darkhan. Je lui ai expliqué que j'étais ton père et que nous devions nous rendre d'urgence dans le quartier des nobles pour consulter un puissant sorcier qui te guérirait. Je lui ai avoué que je n'avais pas de quoi payer ton laissez-passer, mais tu avais l'air tellement mal en point que je n'ai pas eu à insister beaucoup pour qu'elle accepte. Et Eilistraée sait que la compassion n'est pourtant pas le point fort des drows! Nous avons eu de la chance de tomber sur Edryss... mais sans mon mensonge, jamais tu n'aurais pu te rendre dans les quartiers nobles.

— D'accord, je comprends mieux, maintenant... Dans ce cas, tu as bien fait! décréta Luna en prenant un air sérieux. Je dois donc désormais t'appeler... papa?

Darkhan éclata de rire puis se leva.

— En réalité, je ne crois pas que je ferais un bon père! C'est trop de responsabilités!

Puis, sous les yeux étonnés de la gamine, le guerrier ôta son armure. Il avait plusieurs bandages rougis : à l'épaule, à la hanche et à la cuisse. Luna se dit qu'il devait avoir terriblement mal, mais comme si de rien n'était, Darkhan s'assit dans l'unique fauteuil de la petite chambre et entreprit de réajuster les mailles de mithril endommagés par le cimeterre de l'elfe aux yeux lavande et par le sabre enchanté d'Oloraé.

Luna en profita pour l'observer.

— Dis-moi, fit-elle, tu sais exactement à quoi ressemble ce truc que tu cherches?

— La stase du Néphilim? Non, pas tout à fait. Je sais simplement que cet objet représente la lune. Mais ça peut être n'importe quoi, une lampe, une peinture, une sculpture, un vêtement...

— Pourquoi la *lune* et pas autre chose?

— Parce que les Néphilims, comme tous les êtres élémentaires, sont reliés à leur élément : l'air, la terre, l'eau, le feu, ou encore… la lune! Or c'est un Néphilim de lune que ce maléfique sorcier drow a invoqué… Pour attaquer les elfes de lune, quoi de mieux?

— En effet, cela semble logique.

— Par ailleurs, les Néphilims de lune sont extrêmement difficiles à détecter et les elfes de Laltharils ont mis énormément de temps à comprendre que tous leurs malheurs étaient attribuables à ce genre de démon. Tout a commencé il y a une dizaine d'années… Quelques elfes tout à fait sains d'esprit sont devenus fous, du jour au lendemain, sans aucune raison apparente. Puis, peu à peu, les cas de folie se sont multipliés sans que nos guérisseurs ne trouvent d'explications ni de remèdes adaptés. Ils se contentaient d'isoler les elfes atteints, car certains étaient devenus très agressifs, voire même dangereux. Ma mère, par exemple, a été tuée par l'un de ses serviteurs contaminés par le Néphilim…

Le guerrier fit une pause, visiblement très affecté par ses douloureux souvenirs.

— Je suis désolée, Darkhan, murmura Luna en lui prenant la main. Et ton père et toi, vous avez échappé à cette folie?

— Oui, je crois que notre nature drow empêchait le Néphilim de nous atteindre. Quoi qu'il en soit, l'épidémie prenait de telles proportions que les Sages ont commencé à avoir des soupçons. Ils ont fait des recherches, ils sont même partis demander conseils aux elfes dorés. Les Mages d'Aman'Thyr ont consulté d'anciens grimoires et ils ont finalement découvert qu'ils avaient affaire à un Néphilim invoqué par un redoutable sorcier drow, sans doute l'Invocateur personnel de Matrone Zesstra. Le problème, c'est que la magie des elfes était sans effet sur la créature. Aucun sort, même parmi les plus puissants, ne semblait l'affecter. Alors, ils ont mis au point une sorte de vaccin pour immuniser momentanément les elfes sains. Et, au début de cette année, grâce à l'aide des puissants Mages elfes dorés, Hérildur et ses Sages ont fini par mettre au point une incantation qui a piégé l'âme du Néphilim. Par miracle, elle a fonctionné. Nous l'avons capturé et enfermé dans une prison de verre totalement hermétique!

— C'est formidable! Il ne peut donc plus vous faire de mal!

— En théorie non, mais cet esprit maléfique est puissant et nous craignons qu'il parvienne à agir malgré sa cage. Même si ses effets sont atténués, il reste une menace potentielle pour les elfes argentés. En fait, nous ne pourrons jamais nous en débarrasser totalement, à moins de briser la stase qui abrite son corps... ou plutôt son essence vitale. Nous espérons par la même occasion que cela permettra de guérir les elfes devenus fous… Tu vois, la réussite de ma mission est primordiale.

Luna acquiesça, mais une dernière question la préoccupait.

— Et tu sais où se trouve cette stase?

— Oui! Le fait que cette créature soit liée à la lune a permis à nos Sages d'entrer en contact avec l'esprit de son invocateur. Nous savons désormais qui l'a appelé et surtout, où il réside!

— Je pourrais peut-être venir avec toi?

— Certainement pas! rétorqua Darkhan d'un ton sans appel. J'ai accepté de te conduire dans les profondeurs de Rhasgarrok, mais pas de t'emmener en mission avec moi!

Luna n'osa pas insister. Elle se recroquevilla sur le lit et ferma les yeux, en colère.

Pourtant, au fond d'elle, Luna aimait bien le guerrier drow. Elle se sentait en sécurité avec lui et elle savait qu'il ne mentait pas lorsqu'il s'était dit prêt à tout pour la sauver. En fait, Darkhan était quelqu'un de bien, d'honnête, de juste et… de prudent! S'il refusait de l'amener avec lui, c'était uniquement pour lui éviter de courir des risques inutiles. Luna avait eu tort de lui demander si elle pouvait venir. C'était ce qui la vexait le plus…

Le reste de la soirée fut relativement silencieux. Ni l'un ni l'autre n'avait vraiment envie de parler. Luna se coucha et, lorsque Darkhan la crut endormie, il en profita pour descendre boire un verre dans la taverne. Mais l'adolescente ne dormait pas. Elle était trop anxieuse pour fermer l'œil. Peut-être que dans quelques heures, elle retrouverait sa mère...

Luna essaya de s'imaginer à quoi pouvait ressembler Ambrethil et caressa l'amulette d'Eilistraée. Le contact, à la fois doux et chaud, de la perle de nacre lui procura un réconfort certain. C'était bon de se dire que sa mère avait tenu cet objet entre ses mains, qu'elle le lui avait passé autour du cou pour qu'un lien perdure entre elles malgré la séparation.

Luna pria avec ferveur la bienfaisante déesse pour qu'elle lui accorde son souhait le plus cher : que sa mère soit toujours en vie.

Lorsque Darkhan remonta, il titubait légèrement. Les bières drows étaient plus fortes que celles des elfes argentés. Honteux, il s'approcha du lit où dormait profondément sa protégée.

Il embrassa sa main noircie et caressa ses cheveux d'argent avant de s'écrouler de fatigue sur l'unique fauteuil de la chambre.

Le lendemain matin, la patronne leur rendit visite pour leur apporter de quoi manger et prendre des nouvelles de Luna.

— Oh, ma pauvrette, tu es toute pâlichonne! s'exclama-t-elle en apercevant Luna étendue sur le lit. Mange un peu, ça te fera le plus grand bien! Tiens, je t'ai aussi amené des perles et du fil : ça t'occupera toujours un peu, en attendant.

Puis la drow aux yeux d'ambre se tourna vers le guerrier :

— J'ai fait le nécessaire pour les documents, vous les aurez cet après-midi sans faute! Je monterai moi-même vous les apporter.

Darkhan la remercia chaleureusement. Quand l'aubergiste fut sortie, le guerrier songea que si la cruelle Lloth n'avait pas perverti à ce point la société drow, les elfes noirs auraient pu mener une existence normale et cohabiter les uns avec les autres sans chercher constamment à se battre ou à s'entretuer…

Heureusement, la déesse Araignée n'avait pas atteint le cœur de tous les drows. Une poignée de bons drows subsistaient et survivaient en cachant leur véritable nature, mais… pour combien de temps encore?

Lorsqu'il émergea de ses pensées, Darkhan aperçut Luna en train d'enfiler les billes multicolores sur le fil de soie avec une surprenante méticulosité.

— Sacrevert! Tu as vu comme elles sont belles! s'extasia l'adolescente, voyant que Darkhan l'observait. Avant, je faisais souvent des colliers de glands ou de marrons pour Shara, mais ce n'était pas aussi beau. Là, elles sont toutes différentes… Il y en a même qui brillent!

— Ce que je vois, surtout, c'est que tu ne m'as pas laissé une goutte de lait ni une miette de pain, sacrée goulue!

Le sourire faussement contrit que Luna lui adressa dissipa pourtant sa mauvaise humeur. Darkhan vint s'asseoir à côté d'elle.

— Tu sais, notre hôtesse n'avait pas tort lorsqu'elle disait que tu avais mauvaise mine! s'esclaffa-t-il. Une partie de la suie est restée sur ton oreiller! Il faudra que je trouve un autre morceau de charbon pour parfaire ton maquillage…

Mais l'elfe semblait s'en moquer éperdument. Totalement absorbée, elle triait les plus jolies perles et les faisait glisser une à une sur le long fil.

Soudain, Luna leva le bout du nez.

— Dis, Darkhan, que feras-tu lorsque tu auras détruit la stase?

— Eh bien, réfléchit-il à voix haute, si je suis encore en vie, je retournerai à Laltharils. Et toi, que feras-tu si tu retrouves ta mère?

— Je la délivrerai et nous viendrons avec toi à Laltharils!

— Décidément, tu es une vraie sangsue! plaisanta le guerrier.

— Tu exagères! s'écria Luna. *Sans moi*, tu serais encore en train de moisir dans cette prison à attendre les gardes de la cruelle prêtresse qui voulait te sacrifier. Et *sans moi*, Oloraé t'aurait tranché la tête d'un seul coup de sabre. Plutôt pas mal pour une sangsue, non?

Darkhan ronchonna, mais dut admettre que Luna disait vrai. Sans elle, il serait mort à cette heure, et plutôt deux fois qu'une!

— Mais si jamais Ambrethil n'est plus... reprit Luna, alors tu voudras bien me ramener chez toi, hein?

D'un coup, le sang quitta les joues du drow, qui en devint presque livide.

— Qui ça?

— Ambrethil, ma mère! C'est comme ça qu'elle s'appelle!

Darkhan, bouleversé, fit quelques pas dans la minuscule chambre comme pour se donner le temps de réfléchir. Il semblait en proie à de vives émotions. Enfin, il se planta devant Luna et darda sur elle ses yeux sombres.

— Tu es en train de me dire que la princesse Ambrethil est ta… ta mère? C'est bien ça?

La gamine, toute souriante, hocha la tête.

— Mais enfin, pourquoi ne me l'as-tu pas dit plus tôt?

— Parce que tu ne me l'as pas demandé! fit Luna en haussant les épaules. Pourquoi est-ce si important? Tu la connais?

Le guerrier opina du chef avant de s'affaler dans le fauteuil.

— La princesse Ambrethil a disparu, il y a de cela douze ans, avec toute son escorte. Son père l'a fait chercher partout durant des mois et des mois, mais ses recherches furent vaines. Le cœur rongé par la tristesse, il a dû renoncer à la retrouver. Au fond de lui, il savait que les elfes noirs étaient responsables de son enlèvement et de sa mort. Il ne faisait aucun doute qu'une jeune femme aussi belle avait dû être offerte en sacrifice à leur déesse assoiffée de sang… Et toi, tu m'apprends que c'est… ta mère, et qu'il se peut qu'elle soit encore en vie?

— Je l'espère de tout cœur…

— Moi aussi! avoua Darkhan. Car Ambrethil est la fille cadette d'Hérildur, le roi de Laltharils, et son unique héritière depuis la mort de sa sœur… qui était également ma mère!

Les doigts de l'adolescente cessèrent de s'agiter autour des perles, sa bouche s'arrondit et ses yeux se mirent à pétiller de joie :

— Nom d'un chêne tordu! Alors, si je comprends bien, nous sommes cousins! Et je suis aussi... la petite-fille du roi! C'est incroyable : je suis une princesse! Je n'arrive pas à y croire, bigrevert!

— Moi non plus, soupira Darkhan, car ça change pas mal de choses!

« Beaucoup de choses même, songea-t-il, car outre ma mission, je dois désormais découvrir si Ambrethil est toujours en vie. Grand-père m'en voudrait terriblement de l'avoir abandonnée aux mains des drows. Et si elle n'est plus, je dois absolument ramener Luna saine et sauve à Laltharils… car ce sera *elle*, l'unique héritière! »

— Dis-moi, cousine, demanda le guerrier avec un sourire malicieux, tu crois que tu serais capable de renouveler tes prouesses magiques?

15

Voilà près d'une heure que le guerrier et l'adolescente avaient quitté l'auberge. Darkhan avait finalement proposé à Luna de l'accompagner en mission. Après tout, les extraordinaires capacités mentales de sa cousine pouvaient se révéler de solides atouts pour parvenir jusqu'à la stase, voire pour la détruire!

En arrivant face au grand portail qui barrait l'accès aux quartiers des nobles, Darkhan expliqua aux gardes drows ce qui les amenait ici, lui et sa fille. Devant les laissez-passer en bonne et due forme, la sentinelle leur permit d'entrer dans cette partie hautement sécurisée de la ville.

— Faites attention à vous! les prévint l'un des colosses. Plus qu'une demi-heure avant le couvre-feu! Si une patrouille vous surprend dans les rues, vous serez aussitôt abattus!

— Même la gamine! ajouta un autre en riant méchamment.

Darkhan préféra ne pas relever. Il se contenta de serrer les dents et de retenir son poing qui le démangeait. Rapidement, il entraîna Luna loin de ces brutes alors que le portail se refermait déjà derrière eux.

Le monde dans lequel ils pénétrèrent se révéla à la fois merveilleux et terrifiant.

Luna, qui avait encore en tête la misère des étages supérieurs, fut subjuguée par la richesse et l'opulence de cette partie de Rhasgarrok. Ici, point de masures délabrées, de rues crottées ni d'urbams en liberté… Dans ce quartier privilégié, tout n'était que sublimes palais, résidences aux larges portes sculptées cachant de merveilleux patios intérieurs, demeures aux façades ornées de métaux rares et de pierres précieuses. Colonnades, tourelles, vitraux, fontaines à l'effigie de la terrible Lloth, avaient été façonnés et ouvragés par les meilleurs artisans et artistes drows.

Toutes ces maisons rivalisaient d'un luxe ostentatoire, reflet des luttes intestines qui opposaient les grandes Maisons drows dont la première, la plus prestigieuse et réputée, était celle de Matrone Zesstra.

Les autres familles passaient la moitié de leur temps à ourdir des complots et à commanditer des assassinats pour affaiblir les Maisons rivales… l'autre moitié du temps étant consacrée à déjouer des pièges et à tout tenter pour entrer dans les bonnes grâces de la maison de la grande prêtresse de Lloth, afin de gagner les faveurs de la déesse Araignée.

À Rhasgarrok, tout n'était qu'hypocrisie et fourberie au service de l'apparence et du prestige. Ici se cachaient les pires criminels de la ville, prêts à tout au nom de l'ambition et de l'égocentrisme. Voilà pourquoi Sarkor, le père de Darkhan, avait quitté sa famille pour rejoindre la surface et refaire sa vie loin de la noirceur de ce monde corrompu. Mais Darkhan n'avait jamais su à quelle maison il appartenait. Sarkor avait toujours refusé de le lui révéler.

Darkhan entraîna sa cousine dans les larges rues du quartier noble. Il avait appris par cœur le plan que son père lui avait dessiné. Le guerrier obliqua soudain vers une rue plus étroite, aux façades modestes, en expliquant à Luna que l'entrée principale de la maison du sorcier serait sûrement extrêmement bien protégée contre d'éventuels intrus. Il était donc préférable d'entrer par effraction en passant par les communs réservés aux domestiques.

— Nous y voilà, chuchota Darkhan. C'est ici qu'habite l'Invocateur. Maintenant, c'est à toi de jouer, Luna. Prête?

L'adolescente hocha la tête et se concentra sur la grosse grille qui barrait l'accès à l'entrée de service. Ses yeux fixèrent les barreaux jusqu'à ne plus rien voir d'autre. Toute sa volonté était bandée vers ces barres de fer rouillées qu'elle rêvait de voir se plier et s'écarter suffisamment pour qu'ils puissent se glisser dans l'étroit passage.

« Écartez-vous, barreaux! répétait-elle intérieurement. Cornedrouille! Laissez-moi passer... »

Luna, totalement absorbée dans ses pensées, ne vit pas l'expression médusée qui s'afficha sur le visage de Darkhan. Une main sur son épaule rompit soudain sa concentration.

— Tu as réussi! murmura le guerrier, ahuri. C'est formidable, Luna!

— Oui... Je ne pensais pas que ce serait aussi facile! confessa-t-elle, encore étonnée de ses propres facultés mentales.

— Maintenant, suis-moi! lui souffla-t-il.

Darkhan et Luna se faufilèrent entre les barreaux tordus et se tapirent en silence derrière des caisses entreposées devant la façade de la demeure.

— Et maintenant, que fait-on? murmura Luna à l'oreille de Darkhan.

— On va attendre que tout le monde dorme, là-dedans... répondit-il à voix basse.

Nous étions obligés de venir tôt à cause du couvre-feu, mais nous n'entrerons pas avant deux bonnes heures. Nous chercherons la stase, nous la détruirons, puis nous nous cacherons jusqu'à l'aube. Ensuite, nous essayerons de découvrir par quelle maison ta mère a été achetée...

Luna hocha la tête en silence. Une inquiétude surgit brusquement dans son esprit :

— Et si l'Invocateur ne dort pas et qu'il nous découvre, tu le tueras?

— S'il nous menace, oui… Mais j'aimerais pouvoir l'éviter! lui avoua le guerrier. Sa magie doit être extrêmement redoutable et je doute de pouvoir faire le poids...

L'adolescente n'ajouta rien, consciente du danger qu'ils couraient tous les deux.

Le décompte des minutes s'égraina alors aussi lentement que les siècles.

Au bout d'un moment, lasse d'attendre en silence, Luna demanda à son cousin de lui parler d'Ambrethil. Darkhan se prêta bien volontiers au jeu. À voix basse, il évoqua la beauté et la blondeur de sa tante, ses yeux d'azur, son sourire magnifique, sa gentillesse aussi et sa remarquable intelligence.

— Malgré tes cheveux argentés, tu lui ressembles beaucoup. Je me demande même pourquoi ça ne m'a pas sauté aux yeux plus tôt.

Darkhan lui raconta ensuite quelques anecdotes et insista sur les qualités morales d'Ambrethil. Il espérait ainsi rassurer sa cousine, qui s'était inquiétée d'avoir du sang drow dans les veines. Il lui apprit que la princesse était une jeune femme honnête, courageuse et altruiste : elle faisait toujours passer les autres avant elle. Pour preuve, lorsque Ambrethil avait disparu, elle rentrait d'une mission diplomatique ayant pour but d'établir une alliance avec les elfes dorés d'Aman'Thyr pour lutter contre les raids meurtriers des drows.

— J'espère sincèrement que nous allons la retrouver, ajouta Darkhan.

— Oui, moi aussi, murmura Luna. Bigrevert! Ça me fait drôle de me dire que j'ai une *vraie* maman... Il y a encore quelques jours, ma *mère*, c'était une louve...

— Tiens, parle-moi un peu d'elle et de ta vie avec la meute.

À son tour, Luna évoqua longuement les loups qui l'avaient accueillie et adoptée. Elle lui confia aussi son exceptionnelle complicité avec Elbion, son frère au pelage ivoire.

— Dans mon malheur, j'ai perdu un frère, mais j'ai gagné un cousin, fit l'adolescente en se blottissant contre le guerrier.

Cette démonstration de tendresse émut profondément Darkhan, qui la serra à son tour dans ses bras, d'un geste protecteur. Ils restèrent ainsi, silencieux, enlacés derrière les cageots vides.

Au bout de deux heures, Darkhan fit signe à Luna, qui commençait à s'assoupir, qu'il était temps d'y aller. Il lui répéta les consignes de sécurité qu'il lui avait déjà données à l'auberge. Luna lui fit la promesse de ne prendre aucun risque et de n'utiliser ses pouvoirs qu'en cas d'extrême urgence.

Sans un bruit, ils se dirigèrent vers la petite porte arrondie. Darkhan sortit une espèce de baguette de sa poche et la pointa vers la grosse serrure de fer.

— C'est un passe-partout magique! souffla-t-il à la gamine. Un cadeau de mon père!

Un léger déclic retentit aussitôt dans le silence oppressant. Ils se glissèrent dans la riche demeure de l'Invocateur.

Leur mission pouvait paraître simple : ils avaient environ cinq heures pour trouver et détruire tous les objets en forme de lune ou qui représentaient l'astre de la nuit. Mais la maison était immense et ils risquaient à tout moment de tomber sur quelqu'un ou de déclencher une alarme... Heureusement, Darkhan avait appris à détecter les pièges les plus courants et savait également les désactiver.

Le guerrier traversa les logements des serviteurs sans daigner les fouiller. Un objet aussi précieux que la stase ne pouvait pas être conservé dans un endroit aussi ordinaire. Il n'était pas impossible que la stase soit placée à la vue de tous, mais dans un lieu plus noble et sécurisé que les communs.

En se faisant plus légers que l'air, le guerrier et l'elfe se glissèrent dans le dédale de salles et de salons du rez-de-chaussée. Avec méthode et efficacité, ils examinèrent chaque objet, chaque recoin, à la recherche de l'objet convoité.

Sans succès, toutefois.

Les vastes pièces regorgeaient de vases, draperies, lustres, tableaux, miroirs, tapisseries et coffrets représentant la terrible déesse Araignée. Mais aucune représentation de la lune n'égayait cette terrifiante monotonie.

Darkhan hésita à visiter les caves. Sarkor lui avait appris que toutes les demeures drows possédaient plusieurs étages inférieurs. C'était généralement là que les sorciers avaient leurs laboratoires secrets et les prêtresses leur chapelle privée. Là aussi qu'on procédait à d'inavouables expériences…

Darkhan préféra d'abord tenter sa chance en haut, avant d'explorer ces sinistres niveaux.

Il avait prévenu Luna qu'il s'y rendrait seul si leurs recherches s'avéraient vaines.

Prudemment, Darkhan et Luna passèrent devant une hideuse fontaine et gravirent l'immense escalier de marbre du hall. Ils parvinrent au premier étage de la maison. Leurs minutieuses recherches reprirent. Prenant des risques inconsidérés, ils examinèrent chaque pièce, chaque tenture, fouillèrent chaque console et ouvrirent chaque tiroir.

Mais rien, nulle part, n'évoquait ou ne représentait la lune.

Quand, dans une chambre vide, Luna fit enfin signe à son compagnon, ses yeux brillaient d'excitation.

— Darkhan! Regarde ce vase…

— Il doit être vide, vu l'état des fleurs! plaisanta le guerrier.

— Ce ne sont pas les fleurs qui m'intéressent, fichtrenon! Regarde, il représente notre déesse! Et derrière Eilistraée, on voit la lune!

— Bon sang, tu as raison! s'écria Darkhan, stupéfait.

Sans attendre, il posa le vase d'albâtre sur un tapis, arracha une tenture pour le couvrir et sauta dessus de tout son poids. L'objet fut détruit en deux secondes sans qu'aucun fracas n'alerte les propriétaires des lieux. Mais il n'y eut aucun bruit suspect, aucune fumée, aucune manifestation magique non plus!

— Tu crois que c'était la stase? s'inquiéta Luna.

— Hélas non… confessa Darkhan en secouant la tête. Hérildur m'a confié que lorsque la stase du Néphilim serait détruite, il se produirait un phénomène extraordinaire. Mais il n'a pas su m'en dire davantage... Oh, ne sois pas déçue, Luna, ajouta-t-il en voyant la mine désappointée de sa cousine. Ça me semblait un peu trop facile. Poursuivons plutôt nos recherches!

De salons austères en chambres désertes, les deux intrus visitèrent tout l'étage. Mais ils ne découvrirent, hélas, pas d'autres objets suspects.

Alors qu'ils entamaient l'ascension d'un second escalier, Darkhan se figea, les yeux en l'air. Luna suivit son regard et aperçut, au-dessus d'eux, une immense tapisserie. Elle représentait l'affreuse Lloth entourée de ses prêtresses. Son corps arachnéen, sombre et velu, tranchait avec son délicat visage de drow. La scène les représentait de nuit, devant un lit sanglant de victimes sacrifiées, mais dans le ciel étoilé brillait une lune argentée.

Une lune pleine, ronde, brillante, plus vraie que nature.

D'un bras tremblant, Darkhan dégaina son épée et gravit quelques marches pour s'approcher de l'astre qui le narguait. Luna, terrifiée par ce qui allait se passer si cette lune-là abritait bien l'âme du Néphilim, chercha sous sa robe de soie la présence rassurante de son médaillon. Lorsque la lame transperça la lune, un cri rauque surgit des profondeurs de la maison. Un cri de rage ou de douleur…

La main de Darkhan s'immobilisa un instant, puis il lacéra la tapisserie jusqu'à ce que la lune brodée ne soit plus qu'une bouillie de tissus éventrés, mais aucune manifestation extraordinaire ne se produisit. Alors, il saisit le bras de sa cousine et l'entraîna précipitamment vers le bas.

— Quittons cet endroit maudit! souffla-t-il en dévalant les marches.

— C'était la stase, cette fois?

— J'ai des doutes... Je pense plutôt avoir déclenché un système de sécurité. Et du coup, je crains que l'Invocateur n'ait senti notre présence. Vite! Nous n'avons pas une minute à perdre…

Rapides comme le vent, Darkhan et Luna glissèrent le long des escaliers et s'engouffrèrent dans le vaste hall de la propriété, en direction des communs. Au moment où ils passaient devant la fontaine ornée d'araignées, une voix dans leur dos les paralysa.

— Halte-là, étrangers! Un pas de plus et je vous envoie au royaume de Lloth!

Si Darkhan avait été seul, il aurait pris le risque de continuer. Avec Luna, il ne pouvait pas. Il adressa un regard chargé d'angoisse à sa cousine et lui souffla de rester là. Puis, lentement, il se retourna.

L'Invocateur drow qui lui faisait face était extrêmement beau, mais terriblement effrayant. Tout de noir vêtu, il portait une sorte de longue robe richement brodée de fils d'or. Une puissante aura maléfique émanait de sa personne. Pour la première fois, Darkhan sut qu'il avait trouvé un adversaire à sa mesure et que ce duel risquait bien d'être son dernier. Toutefois, il ne voulait pas que Luna lui survive et affronte seule l'Invocateur... Il fallait absolument qu'il tente quelque chose avant de combattre.

— Pitié, sorcier, implora-t-il dans la langue gestuelle des drows, nous ne sommes que de modestes voleurs. Mais dans notre hâte, nous nous sommes trompés de maison... Je devais dérober un précieux artefact chez les... Kel'Istror, mais j'ai fait erreur! Je vous jure qu'on ne vous a rien pris!

— Voyez-vous ça, se moqua l'Invocateur avec quelques gestes éloquents. La maison

Kel'Istror est effectivement celle de mes voisins, mais j'ai du mal à te croire, voleur... D'ailleurs, que fais-tu accompagné d'une gamine? Il me semble que sa place n'est pas ici!

Darkhan déglutit péniblement. Il allait devoir jouer serré.

— Il s'agit de mon apprentie, seigneur. Elle n'a pas été acceptée parmi les disciples de Lloth, alors je lui enseigne comment survivre dans notre monde.

— Survivre? s'esclaffa silencieusement le drow. En pénétrant chez moi de façon illicite, vous avez signé votre arrêt de mort... Par ailleurs, c'est étrange, mais vous semblez posséder quelque chose de très précieux. Quelque chose qui m'appartient et que je pensais avoir perdu...

Sans prévenir, le sorcier leur envoya un puissant éclair qui leur jaillit au visage, mais l'effet ne fut pas celui qu'il escomptait. Darkhan et Luna étant habitués à la lumière du jour, l'éclair ne brûla pas leurs rétines. Le guerrier en profita pour dégainer son épée et s'élancer vers le sorcier. Hélas, l'Invocateur réagit aussi vite et lança un nouveau sort en direction de Darkhan.

Luna, affolée par la tournure des évènements, se concentra pour puiser au fond d'elle la force qui les sauverait peut-être.

En utilisant son épée comme un bouclier, Darkhan détourna les boules d'énergie du sorcier, mais ne put éviter le sortilège de répulsion. D'un simple geste, l'Invocateur projeta le guerrier à l'autre bout du hall. Sa tête heurta de plein fouet la fontaine et il perdit connaissance.

L'Invocateur éclata d'un rire sardonique en s'approchant de Luna. Un sourire mauvais s'étira sur son visage pendant que ses mains disaient :

— Alors, petite apprentie, voyons de quoi tu es capa…

Il n'eut pas le temps d'achever sa phrase silencieuse : une force surnaturelle s'empara de lui, le plaquant au sol avec une violence incroyable. Fou de rage et de frayeur, il chercha à se relever, mais il était paralysé. Ses membres ne lui obéissaient plus. Il était pourtant le chef de la Guilde de l'Ombre et connaissait tous les contre-sorts… La panique s'empara alors de son esprit. C'était comme si cette gamine s'était approprié son corps pour le détruire à petit feu. Le drow sentit alors ses fonctions vitales s'affaiblir, ses poumons se figer, son cœur ralentir, son cerveau s'embrumer…

Luna s'avança lentement vers lui et la détermination qui se lisait sur ses traits déformés par la haine effraya le sorcier.

Cette fois, son pouvoir s'était manifesté du premier coup, sans qu'elle perde connaissance, et Luna se sentait presque invincible. L'Invocateur gisait à ses pieds, tremblant comme un vermisseau. Pitoyable! Elle s'approcha de lui et se pencha vers son visage, sans s'apercevoir que son amulette était sortie de sous sa robe.

— Tu as voulu détruire les elfes de lune en leur envoyant un Néphilim, gronda Luna, furieuse. Tu as cru gagner la partie, mais tu as perdu! Désormais, tu ne feras plus de mal à personne! Dis adieu à ta…

— Maudite! articula le moribond en agrippant d'un coup le médaillon de Luna. Tu as… volé l'amulette de ma… femme! Tu n'avais… pas le droit! Ambrethiiiilll! À… à l'aide!

Son cri s'étouffa dans sa gorge paralysée, un flot de sang noir jaillit de sa bouche et macula sa joue. Son regard vitreux se figea pour l'éternité.

16

Lorsque Darkhan reprit connaissance, sa première pensée fut pour Luna. Où était-elle? Avait-elle pu résister à l'Invocateur? Était-elle toujours en vie? Son cœur se déchira à l'idée qu'il avait pu lui arriver quelque chose, qu'il n'avait pas été capable de la protéger...

Le guerrier se releva d'un coup, mais une lancinante sensation de vertige s'empara de son esprit. Il tituba avant de retrouver son équilibre. Ses yeux fouillèrent l'obscurité à la recherche de sa cousine. Il l'aperçut soudain, agenouillée à côté d'une forme inerte. Malgré son crâne qui menaçait d'éclater, Darkhan s'élança vers elle.

— Luna! Par Eilistraée, tu es en vie! Bénie soit la déesse… Tu n'as rien?

L'adolescente ne répondit pas. Le visage penché, elle sanglotait en silence derrière un rideau de cheveux argentés. Le guerrier s'arrêta à deux pas d'elle et avisa le visage du macchabée, déformé par la haine. Curieusement, Luna avait pris la main du sorcier entre les siennes et la tenait fermement serrée contre son cœur.

Darkhan en déduisit que Luna avait utilisé son mystérieux pouvoir contre l'Invocateur et qu'à présent, elle s'en voulait de l'avoir tué. Lorsque Oloraé était morte, sa cousine s'était évanouie, elle n'avait donc rien vu du drame. Tuer un homme, même si c'était de la légitime défense, était toujours une épreuve traumatisante. Or Luna était si jeune, si innocente... Elle devait être terriblement bouleversée.

Après avoir jeté un œil aux alentours pour s'assurer que le combat n'avait attiré personne, Darkhan se pencha vers l'elfe et caressa ses cheveux d'argent, doux comme la soie.

— Ne pleure plus, Luna. Ce drow allait nous tuer! Il n'aurait pas hésité une seule seconde et je te jure qu'il ne nous aurait pas pleurés, lui! Alors, ne regrette pas ton geste : tu nous as sauvé la vie!

Lorsque Luna leva les yeux vers lui, le désespoir infini qu'il lut dans son regard le tétanisa.

— Darkhan, j'ai fait une chose... horrible! gémit l'adolescente.

— Tu n'avais pas le choix! Ce monstre voulait nous envoyer dans l'enfer de Lloth!

— Tu ne comprends donc pas? s'énerva-t-elle. Ce monstre, c'était... mon père!

Le temps s'arrêta.

Les secondes se figèrent et l'esprit de Darkhan appréhenda toute l'horreur de la scène. Luna venait d'assassiner son… père!

Son *père*?

Les battements de son propre cœur le sortirent de sa torpeur et il força l'adolescente à le regarder. Sa cousine était-elle devenue folle?

— Pourquoi dis-tu cela, Luna? Il n'y a aucune raison pour que cet homme soit ton père, il y a des centaines de sorciers drows dans cette ville! Qu'est-ce qui te…

— En mourant, le sorcier a appelé sa femme à l'aide… et il a prononcé son nom… Il a crié : « Ambrethil! Ambrethil! » Cornedrouille! Darkhan, tu comprends ce que ça signifie?

Luna se dégagea d'un geste rageur.

— Du calme, Luna! Il y a peut-être d'autres femmes que ta mère à porter ce nom?

— Fichtrenon! Ambrethil n'est pas un nom drow et tu le sais parfaitement! Inutile d'essayer de me consoler… Je viens de tuer mon propre père! Je suis une meurtrière!

— Cesse de hurler! se fâcha soudain Darkhan. Tu vas réveiller toute la maison! Nous allons nous faire tuer et cela ne résoudra en rien ton problème! Si ce que tu crois est vrai, alors soit, tu as tué ton père! Oui, Luna! Mais comme on ne peut plus changer ce qui a été fait, tu vas devoir l'accepter et apprendre à vivre avec cette idée! De toute façon, ce drow était un être ignoble qui méritait cent fois la mort! Vois le bon côté des choses…

— Parce qu'il y a un bon côté? rétorqua Luna avec un air de défi.

— Tout d'abord, tu as rendu un immense service à ton peuple. Ensuite, si cet homme était bien ton père, alors ta mère ne doit pas se trouver bien loin. Et ça, c'est plutôt une bonne nouvelle, non?

Toute la colère de Luna retomba d'un coup.

Darkhan avait raison, mais le remords avait tellement accablé Luna qu'elle en avait oublié l'essentiel : retrouver sa mère!

— Tu… tu crois qu'Ambrethil est ici?

Darkhan allait opiner quand une voix de femme s'interposa :

— Oui, elle est bien là! Et je serais curieuse de savoir ce que vous lui voulez…

La majestueuse elfe de lune se tenait droite et fière au sommet du gigantesque escalier. Ses longs cheveux blonds balayaient ses hanches fines. Elle portait une robe marine qui soulignait son teint diaphane. Les traits de son visage étaient d'une remarquable beauté, même si la souffrance et la nostalgie avaient à jamais effacé son sourire.

Cette vision aussi surréaliste qu'inespérée paralysa Darkhan et Luna, qui restèrent muets de stupeur.

Tel un fantôme, la femme glissa jusqu'à eux et jeta un regard triste au corps de son défunt amant gisant sur le sol d'obsidienne.

— Elkantar m'a achetée jadis au marché aux esclaves, mais il m'a toujours traitée avec respect et déférence. Au fil des années, nous avons appris à nous connaître... Je faisais partie des rares personnes dont il appréciait la présence. Je crois qu'à sa façon, il m'aimait… même s'il ne me l'a jamais avoué…

Puis, se tournant vers Darkhan, elle ferma les yeux et murmura avec beaucoup de dignité :

— Ma vie repose désormais entre vos mains, assassins. Tuez-moi vite qu'on en finisse. Le massacre de la maison And'Thriel ne vous prendra pas beaucoup de temps, je n'ai jamais pu donner d'héritier mâle à mon défunt mari… Ce fut d'ailleurs son plus grand regret!

L'elfe offrit son cou à la lame qui devait trancher le fil de sa vie. Cependant, l'épée n'était pas au rendez-vous.

— Ma tante…? C'est moi, Darkhan!

Ambrethil sursauta. Ses paupières s'ouvrirent et ses yeux d'azur s'écarquillèrent.

— Nous sommes venus te chercher, pour te ramener à Laltharils! la rassura le guerrier. Ton père et ton peuple t'attendent, princesse!

— Darkhan? balbutia Ambrethil sans y croire vraiment. Par Eilistraée, c'est bien toi?

Pour la première fois depuis douze ans, une esquisse de sourire égaya son beau visage.

— Comme tu as changé! s'exclama-t-elle. Mais comment as-tu fait pour me retrouver? Est-ce Viurna, ma bonne Viurna, qui t'a prévenu?

— Non. Viurna n'est hélas jamais rentrée à Laltharils... Et la raison de ma présence ici est trop longue à expliquer... L'important, c'est de t'avoir retrouvée, Ambrethil!

Les lèvres couleur de rosée de la princesse affichèrent un franc sourire. Son rêve était en train de se réaliser : elle allait enfin quitter sa prison dorée et tourner le dos à douze années de captivité, pour rejoindre la surface et sa terre natale.

Ambrethil jeta alors un regard plein de tendresse sur l'adolescente qu'elle avait jusque-là ignorée.

— C'est ta fille? Elle est magnifique. Elle te ressemble beaucoup, d'ailleurs! Mais... ce n'était peut-être pas très prudent de l'emmener ici avec toi!

L'indicible joie de Luna se mua en une profonde déception.

Sa mère... Sa *propre* mère ne la reconnaissait pas! Alors que Shara pouvait repérer sa présence à plusieurs centaines de mètres, Ambrethil l'avait, elle aussi, prise pour la fille de Darkhan! N'y avait-il donc pas d'instinct maternel qui lui criait qu'elle était *sa* fille, *sa* chair?

Darkhan, embarrassé, lut toute la détresse de Luna sur son visage décomposé. Toutefois, ce n'était pas à lui d'apprendre la vérité à Ambrethil…

L'elfe de lune perçut immédiatement le trouble de Darkhan et, sans comprendre l'origine du malaise, dévisagea alternativement son neveu et l'adolescente.

Ce fut Luna qui rompit finalement le silence.

— Je suis *ta* fille, Ambrethil! lui annonça-t-elle d'un ton plein de reproche. Celle que tu as abandonnée, il y a douze ans! Celle que tu as confiée à ta servante pour qu'elle la cache là où on ne la trouverait jamais. Celle qui a grandi loin de toi… au point que tu ne la reconnais même plus aujourd'hui!

La femme, comme frappée en plein cœur, recula de deux pas.

— Non, c'est impossible! marmonna-t-elle. C'est impossible! Tu as sans doute le même âge qu'elle et les mêmes yeux aussi, mais ma petite fille était blanche comme la lune. C'était une elfe argentée, comme moi… Je suis sincèrement désolée, mais je… je ne suis pas celle que tu crois!

Darkhan, qui comprit aussitôt la terrible méprise, entraîna Luna vers la fontaine sculptée qui ornait le hall et s'empressa de débarbouiller son visage encore couvert de suie.

Ambrethil, le cœur battant, observait la scène avec appréhension.

Et si…

Lorsque Luna tourna enfin vers elle son visage d'albâtre, Ambrethil crut que son cœur allait s'arrêter... avant d'exploser d'un bonheur infini. Elle chancela.

— Sylnodel! s'exclama-t-elle en courant vers sa fille. Ma chérie, mon bébé… Jamais je ne l'aurais cru possible! Enfin, je te retrouve!

« *Sylnodel?* se répéta mentalement Darkhan en fronçant les sourcils. En elfique, cela signifie… Perle de Lune! »

Une terrifiante pensée le traversa soudain.

Et si l'Invocateur, dans sa plus grande cruauté, s'était servi de sa propre fille pour abriter le démon? Et si Luna était la stase que Darkhan devait détruire...?

17

Leur étreinte fut un tourbillon de bonheur.

Entre la mère et la fille, les mots furent inutiles. Elles eurent simplement besoin de se toucher, de se sentir comme une louve et son petit. Elles avaient douze ans à rattraper. Douze ans de tendresse, de baisers, de câlins…

En cet instant, rien d'autre au monde ne comptait plus pour elles.

— Laisse-moi te regarder, Sylnodel! Comme tu es belle! s'extasia Ambrethil en embrassant sa fille. Si tu savais comme j'ai souffert de t'avoir abandonnée! Tous les jours, je priais Eilistraée pour que tu sois en vie et que tu me pardonnes. Bénie soit la déesse qui a exaucé mes prières. Je suis certaine que c'est grâce à Elle si nous sommes ensemble aujourd'hui. Au fait, ajouta-t-elle, as-tu conservé le talisman que je t'ai offert à ta naissance?

— Bien sûr! s'écria fièrement Luna en exhibant le médaillon représentant Eilistraée.

— C'est ton père, Elkantar, qui me l'avait offert pour protéger ma grossesse, reprit Ambrethil, la gorge nouée. Avant de te confier à Viurna, je l'ai glissé autour de ton cou. Je savais que la déesse veillerait sur mon bébé de lune…

La petite perle, ronde et nacrée comme l'astre de la nuit, se balança doucement au bout des doigts de Luna sous le regard plein d'amour d'Ambrethil.

Soudain, Darkhan comprit!

Il avait fait fausse route en croyant que Luna était la stase!

— Luna? Pourquoi ne m'as-tu jamais montré cette amulette? lui reprocha-t-il en avançant vers elle.

Luna haussa les épaules.

— J'ai hésité, le soir où je t'ai rencontré. Mais sur le moment, j'ai cru que ce n'était pas utile. C'était juste un souvenir de ma mère, après tout, ça ne concernait que moi… Ensuite, j'ai oublié...

Darkhan ne l'écoutait déjà plus. D'un geste brusque, il lui arracha le pendentif sans dissimuler une expression de dégoût.

— Darkhan! s'offusquèrent ensemble Luna et Ambrethil, outrées par ce sacrilège.

Le guerrier ne se laissa pas démonter :

— Enfin, Luna, ouvre les yeux! Ce talisman, c'est la lune que nous cherchions! En fait, depuis le début, tu portais sur toi la stase du Néphilim!

L'adolescente, horrifiée, plaqua les mains sur sa bouche pour s'empêcher de crier.

Ambrethil, quant à elle, ne comprenait rien au charabia de son neveu, mais vu son expression et la réaction de sa fille, cela semblait très grave…

— Luna, réfléchis! Elkantar ne l'a pas offert à ta mère pour lui porter bonheur, mais par pur sadisme! poursuivit Darkhan. Quoi de plus jouissif pour un être aussi pervers que d'offrir à sa compagne l'objet qui abrite le démon chargé de tuer les elfes argentés à petit feu?

À ces mots, Ambrethil devint livide.

— Je suis désolé d'être aussi direct, ma tante. Tu croyais que cet homme t'aimait, mais comme tous les drows, il était retors et sans pitié. Il devait jubiler de voir autour de ton cou d'albâtre l'instrument qui causait la perte des tiens… Jamais il n'aurait imaginé que tu le confierais à ton nourrisson, n'est-ce pas?

— En effet, murmura la femme d'une voix blanche. Mais Elkantar n'a jamais su, pour Sylnodel. Je lui ai dit que l'enfant, un garçon, était mort-né et qu'à ma demande, Viurna était partie se débarrasser du petit corps. Ce n'est que bien plus tard qu'il a découvert que je ne portais plus son présent autour du cou. J'ai menti en disant que je l'avais malencontreusement égaré et Elkantar est entré dans une colère folle. Je ne l'avais jamais vu ainsi. Il m'a consignée dans mes appartements et je suis restée seule une éternité... Les mois ont passé et sa rage s'est finalement estompée. J'ai même cru qu'il m'avait pardonnée.

— En fait, je pense que l'Invocateur était capable, d'une façon ou d'une autre, de rester en contact avec le Néphilim. Il importait peu que la stase soit perdue, du moment que le démon pouvait poursuivre son œuvre destructrice, devina Darkhan.

— Et c'était ça, le fameux objet que nous possédions et qu'il disait avoir perdu! déduisit Luna avec stupeur.

— Oui... confirma Ambrethil. Et c'est sûrement parce qu'il a senti sa présence qu'il s'est réveillé en hurlant de rage.

— Tu parles du hurlement qui a résonné dans toute la maison? s'étonna Darkhan. J'ai cru qu'il s'agissait d'un système d'alarme...

Luna, qui venait de comprendre quelque chose, secoua la tête.

— Non, c'est à cause de moi! Lorsque je t'ai vu pointer ton épée vers la lune, j'ai touché le talisman pour qu'il ne t'arrive rien. J'avais peur que le démon s'en échappe et qu'il t'attaque. C'est à ce moment-là qu'Elkantar a détecté la présence de la stase.

— Quoi qu'il en soit, reprit le guerrier, il faut la détruire. Maintenant!

Sans attendre leur consentement, Darkhan referma son poing sur la délicate perle de nacre et serra de toutes ses forces pour briser l'objet maléfique. Lorsqu'il ouvrit sa main, le pendentif était intact.

D'un geste rageur, il déposa le talisman sur le sol et dégaina son épée pour la fendre en deux. Le coup fut aussi puissant que précis, mais la lame ripa sur la bille et alla fendre la dalle d'obsidienne. Le pendentif n'était même pas rayé. Darkhan rengaina son arme et se passa la main sur le front d'un air soucieux.

— Luna, si tu essayais ton pouvoir dessus? On ne sait jamais.

Sous les yeux ahuris de sa mère, qui ne comprenait décidément pas grand-chose à toute cette histoire, l'adolescente acquiesça et ferma les yeux pour se concentrer.

Hélas, rien ne se produisit.

— Désolée, s'excusa-t-elle, mais je crois que cette mystérieuse force ne surgit que lorsque je suis en colère ou en danger… Je ne la maîtrise pas encore parfaitement.

— Ce n'est pas grave, fit Darkhan, cachant du mieux qu'il put sa déception. Nous allons amener la stase jusqu'à Laltharils. Nos Sages sauront sûrement comment la détruire. Allez, filons d'ici!

Le guerrier glissa le pendentif dans sa poche et entraîna les elfes de lune vers la sortie.

— Attends! le retint Ambrethil. Nous ne pouvons pas laisser le cadavre d'Elkantar ici. Les domestiques vont donner l'alerte et les sentinelles seront sur nous avant même que nous ayons eu le temps de nous enfuir. Emmène-le dans les caves. Les serviteurs de mon mari n'ont pas le droit d'y descendre.

Darkhan pesta contre ce contretemps, mais la princesse avait raison. Il n'avait pas accompli tout cela pour périr entre les mains d'une sentinelle sans pitié. Le guerrier chargea sur son dos le corps de l'Invocateur et disparut dans les sous-sols de la demeure.

Luna en profita pour se blottir de nouveau dans les bras d'Ambrethil. Elle aurait voulu lui avouer qu'elle était responsable de la mort d'Elkantar, qu'elle avait tué son propre père, mais les mots ne venaient pas. Elle le lui dirait là-bas, à Laltharils, lorsqu'elles se connaîtraient un peu mieux. Lorsqu'elle serait certaine que sa mère pourrait la pardonner…

— Toute ma vie, j'ai attendu ce jour, Sylnodel! chuchota sa mère.

— Cornedrouille! Ça me fait tout drôle que tu m'appelles ainsi. L'elfe sylvestre qui m'a recueillie m'a donné le nom de Luna, à cause de mon apparence…

— C'est très joli aussi… C'est lui qui t'a élevée?

— Le Marécageux s'est occupé de mon instruction, mais c'est auprès de Shara et des siens que j'ai grandi…

À l'idée qu'une autre femme avait profité de son bébé, un éclair de jalousie vrilla le cœur d'Ambrethil. Mais Luna éclata de rire.

— Ne fais pas cette tête, bigrevert! Shara était une mère formidable, mais jamais une louve ne remplacera une vraie maman!

Malgré la surprise que cette révélation provoqua, le visage d'Ambrethil s'illumina. Elle allait demander à sa fille des détails sur son enfance parmi les loups, mais Luna ne lui en laissa pas le temps :

— J'ai quelque chose pour toi, fit-elle en fouillant dans sa poche. Quand je vivais avec la meute, j'avais pris l'habitude de confectionner des colliers pour Shara… C'était pour lui dire à quel point je l'aimais. Et comme je savais que j'allais te retrouver, quand j'étais à l'auberge avec Darkhan, j'ai fabriqué cela pour toi...

L'adolescente exhiba alors fièrement un splendide collier de perles multicolores. Ambrethil, tremblante d'émotion, laissa sa fille le lui passer autour du cou.

— C'est le plus beau cadeau de toute ma vie, murmura-t-elle en embrassant les cheveux d'argent de sa fille.

— Hum! Désolé de vous interrompre, fit soudain Darkhan, qui était remonté de la cave. Mais il y a en bas quelque chose que vous devriez venir voir par vous-mêmes...

Étonnées, Ambrethil et Luna suivirent le guerrier, se demandant quelle nouvelle catastrophe allait encore s'abattre sur eux.

18

— Cornedrouille, ma pistounette!

— Par le Grand Putride! Maman, c'est lui! s'écria Luna radieuse. Le Marécageux!

L'adolescente sauta de joie en découvrant le visage cuivré, fripé mais souriant, du vieil elfe. C'était bien la dernière personne qu'elle s'attendait à découvrir dans ces caves aussi sinistres qu'humides. Elle courut dans sa direction pour se jeter dans ses bras.

— Que je suis heureuse de te revoir! J'avais tellement peur qu'il te soit arrivé malheur! Que fais-tu ici?

— Eh, doucement! Laisse-moi souffler, marmotine! se moqua gentiment le Marécageux. Ton vieux mentor était en train de moisir dans cette geôle, et si ce jeune elfe noir n'était pas venu me libérer, je crois que j'y serais mort.

— Darkhan n'est pas vraiment drow! rectifia fièrement la gamine. Il est comme moi, moitié drow, moitié argenté! Et en plus, c'est mon cousin!

— Sainte Putréfaction! fit l'autre, impressionné. Je crois que tu auras des tas de choses à me raconter pendant le voyage de retour. Pour une fois, c'est moi qui t'écouterai et promis, je ne t'interromprai pas, marmousette!

— Toi, te taire? Impossible! le railla Luna, au comble du bonheur.

Une fois encore, Darkhan joua les trouble-fête en leur rappelant qu'il valait mieux se mettre en route dès maintenant, sans oublier de maquiller les deux femmes pour que leur teint diaphane n'attire pas les regards malveillants des curieux qu'ils ne manqueraient pas de rencontrer en chemin.

— Inutile! leur révéla le Marécageux. Nous allons repartir par où je suis arrivé, ventredur!

Devant l'incompréhension qu'il lisait sur leurs visages, le vieil elfe ne put s'empêcher de ricaner. En se dandinant, il les entraîna dans le dédale de couloirs sombres qui serpentaient dans le ventre de la demeure. Arrivé devant une lourde dalle, le Marécageux agita les mains et, devant leurs yeux ébahis, la pierre glissa sur le côté, dévoilant l'obscure gueule d'un tunnel.

— Allons-y, c'est par là, annonça-t-il, ravi de son tour de passe-passe.

Après avoir refermé le passage, l'ermite entreprit de leur raconter son histoire.

— Lorsque Luna m'a appris qu'une clerc de Lloth rôdait dans la forêt de Wiêryn et qu'elle s'en était prise à Zek, j'ai compris qu'il se tramait de vilaines choses à Rhasgarrok. Nom d'une feuille morte! Il fallait que je découvre si ces cruelles drows en avaient après toi, marmotine. Mais avant de partir pour la cité maudite, j'ai pris quelques précautions... Il se pouvait que je ne revienne jamais; or tu devais apprendre la vérité. Alors, j'ai ressorti le coffret qui contenait le cadeau de ta mère et la lettre que j'avais rédigée le jour où je t'avais confiée à Shara. Je t'ai aussi dévoilé l'entrée de mon souterrain et préparé quelques provisions, en cas de danger. À ce que je vois, j'ai bien fait! Ensuite, je suis parti en direction de la cité des drows.

Sans cesser de s'enfoncer dans l'obscurité, le vieil elfe leur expliqua comment il avait appris que des troupes de guerrières drows, accompagnées de leurs immondes urbams, avaient quitté la ville en direction de la surface quelques jours auparavant. Darkhan, qui se souvenait effectivement d'avoir croisé les redoutables drows le soir où il était entré dans Rhasgarrok, confirma les dires du Marécageux.

À Luna, qui s'étonnait qu'un elfe sylvestre puisse se promener parmi les drows sans être inquiété, le Marécageux répondit par un clin d'œil :

— Chacun ses trucs, marmousette! Magie ou suie, qu'importe, du moment que l'illusion est réussie! Sous ma nouvelle apparence, j'ai mené mon enquête dans les arcanes du clergé de la déesse maudite, et j'ai découvert des prêtresses en ébullition. Leur Invocateur, chef de la Guilde de l'Ombre en personne, venait seulement de leur révéler qu'il ignorait où se trouvait la stase du Néphilim qu'il avait invoqué! Elles étaient furieuses, mais grâce à leur puissante magie, elles ont détecté la présence de l'objet magique dans notre forêt! Tu te rends compte? La drow que tu as trouvée morte n'en avait pas après toi. Sa mission consistait à ramener cette fameuse stase aux prêtresses, sans l'exposer à la lumière du soleil, surtout!

— Et pourquoi ça? demanda aussitôt Luna.

— Eh bien, parce que les rayons de l'astre du jour l'auraient détruite, tuant sur le coup le démon qu'elle abritait, pardi!

Luna et Darkhan échangèrent immédiatement un sourire complice.

Ils tenaient enfin la solution!

Ils choisirent toutefois de garder momentanément le silence, pour ne pas briser l'élan narratif du Marécageux, qui reprit de plus belle :

— J'ai naturellement voulu en apprendre plus sur ce fameux Invocateur. J'ai fini par découvrir qu'il s'agissait d'Elkantar And'Thriel, ultime descendant d'une maison jadis réputée mais aujourd'hui sur le déclin. J'ai évidemment appris que sa compagne était une ancienne esclave elfe de lune et mon sang n'a fait qu'un tour. Tout concordait avec ton histoire, marmotine! Si ta mère, Ambrethil, était encore en vie, je devais la retrouver et lui donner de tes nouvelles, sacrevert! Mais dans ma précipitation, je n'ai pas pris suffisamment de précautions. Le maudit sorcier m'est tombé dessus avant-hier, lorsque je rôdais dans ses caves. Toutefois, j'ai eu de la chance dans mon malheur, car il m'a pris pour un esclave en fuite et s'est contenté de m'emprisonner. S'il avait su qui j'étais vraiment, j'aurais sûrement subi quelques séances de torture…

— Si vous aviez vu votre tête lorsque je suis descendu! se moqua Darkhan.

— Ah, par le Gland Sacré, je t'ai pris pour un vrai drow et je ne m'attendais pas du tout à ce que tu me libères! J'ai sacrément bien fait de te dire que je voulais voir Ambrethil, n'est-ce pas? Et toi, ma petite Luna, que s'est-il passé depuis notre dernière rencontre?

Alors Luna raconta.

Elle raconta son chagrin devant les urbams massacrant la meute. Son désespoir à la mort d'Elbion. La force, nourrie de haine, terrassant les ignobles créatures. La découverte de la lettre et du médaillon. Sa fuite aveugle vers Rhasgarrok, avec l'espoir fou de retrouver sa mère. Sa surprenante rencontre avec Darkhan. Leur balade au cœur de la ville. Sa révolte en découvrant le marché aux esclaves. Le duel contre Oloraé et ses urbams. La découverte qu'elle pouvait contrôler son mystérieux pouvoir. Sa surprise en apprenant que Darkhan était son cousin. Leur expédition nocturne à la recherche de la stase.

— Et tu sais le plus incroyable? termina l'adolescente en s'adressant à son mentor. C'est que la stase était entre tes mains depuis le début, ventrevert! Depuis une douzaine d'années!

Le vieil elfe sursauta.

— Ben oui, cornedrue! s'écria Luna. La stase, c'est le médaillon d'Ambrethil!

Cette révélation bouleversa profondément le vieil elfe, qui dut s'arrêter un instant pour prendre appui sur le mur de la galerie souterraine. Lui qui avait tout fait pour conserver le médaillon bien à l'abri, dans son coffre! Lui qui avait choisi de ne pas le remettre tout de suite à la petite elfe, de peur qu'elle l'abîme! Involontairement, il avait gardé la stase loin des rayons du soleil. Sans le savoir, il l'avait protégée, plongeant ainsi des centaines d'elfes argentés dans la folie du Néphilim.

S'il avait su…

Pendant les trois jours que dura le trajet, la petite troupe avança inlassablement dans le labyrinthe taillé au cœur de la roche. Ils firent deux ou trois étapes, profitant des sacs de vivres dissimulés çà et là par l'elfe prévoyant, et s'arrêtèrent quelques heures seulement pour dormir.

Ce fut pour Luna l'occasion de se rapprocher de sa mère. Elle évoqua son enfance parmi les loups; sa mère lui parla de sa jeunesse à Laltharils.

Pendant ce temps, Darkhan essayait de remonter le moral du Marécageux, rongé par le remords. Le vieil elfe ne se pardonnerait jamais cette erreur gravissime. Le guerrier eut beau le rassurer sur le fait qu'une fois la stase détruite, tout rentrerait dans l'ordre, il ne parvint pas à convaincre l'ermite de les accompagner à Laltharils. Le Marécageux préférait rester sur son îlot solitaire, au beau milieu des marais de Mornuyn.

L'exil serait de nouveau la peine qu'il s'infligerait.

Lorsque la petite troupe retrouva enfin la cabane creusée dans l'énorme châtaignier, ils constatèrent avec effarement les dégâts qu'y avaient causés l'urbam et la drow. Meubles brisés, coffres éventrés, draps en charpie, vitres explosées. Le refuge de l'ermite était devenu un indescriptible chaos, mais cela ne sembla pas remettre en cause la décision du Marécageux de rester là.

— En fait, la nuit où j'ai fui, ce n'était pas moi qu'ils poursuivaient! comprit enfin Luna. Nom d'une feuille morte! Cette sale drow savait que la stase était cachée là!

Il n'en fallut pas davantage pour que Darkhan se précipite dehors. Il était temps d'accomplir enfin le dernier acte de sa mission.

Tellement absorbé par cette unique pensée, il ne vit pas l'énorme animal bondir sur lui.

— NON! hurla Luna avant que les crocs ne s'enfoncent dans le cou du guerrier.

En entendant la voix de sa sœur, le grand loup au pelage ivoire releva la tête. Il lâcha aussitôt sa proie et courut vers Luna, qui l'accueillit en ouvrant ses bras.

— Elbion? Cornedrouille! C'est bien toi? Mon frère! Tu es vivant!

L'adolescente serra l'énorme animal contre elle pour respirer son odeur. Hormis la grosse tache brune qui noircissait son poitrail, le canidé semblait ne pas avoir gardé de séquelles de l'attaque des urbams. L'impact du projectile magique et la chute lui avaient fait perdre connaissance, mais ne l'avaient pas tué, contrairement à ce qu'avait toujours cru Luna. Alors Elbion avait suivi la trace olfactive de la jeune elfe jusqu'à l'île du Marécageux. Pour la première fois, l'animal avait osé s'aventurer dans la cabane. Constatant qu'elle était vide, et en l'absence d'autres pistes, Elbion avait attendu Luna, ne s'éloignant du grand châtaignier que pour chasser. Son instinct lui disait qu'elle reviendrait.

Sous les yeux effarés de Darkhan et d'Ambrethil, la petite fille frotta ses joues contre le museau humide de l'animal. Des larmes de joie baignaient le visage de l'adolescente, mais la langue du loup effaçait au fur et à mesure les sillons salés. Leur complicité, leur bonheur émurent Ambrethil, qui constata avec soulagement que sa fille n'aurait pas pu avoir de meilleur protecteur durant toutes ces années.

Lorsque Luna se remit enfin de ses émotions, elle fixa le loup dans les yeux.

— Tu m'attendais, n'est-ce pas? Bigrevert! Tu savais que j'allais revenir... Oh, Elbion, comme je suis heureuse!

Le loup exprima à son tour toute sa joie en aboyant bruyamment.

— Tu as perdu ta meute, Elbion, mais tu es toujours mon frère. Aujourd'hui, c'est à mon tour de t'intégrer dans mon clan : je te présente ma mère, Ambrethil, et Darkhan, mon cousin. C'est ensemble que nous ferons la route jusqu'à Laltharils!

Comme s'il l'avait comprise, le loup renifla longuement les deux étrangers, surtout Darkhan, dont la peau foncée l'inquiétait. Il lui rappelait sûrement la meurtrière de Zek... Mais Elbion fit confiance à Luna et lécha le nez du guerrier, qui ne put s'empêcher de rire.

Puis, reprenant son sérieux, Darkhan tendit son poing serré en direction de Luna.

— Tiens, c'est à toi de détruire le médaillon. Après tout, c'était le tien...

— Oui, mais c'est à toi que notre grand-père a confié cette mission! répliqua sa cousine, les yeux brillant de bonheur. C'est donc à toi que revient cet honneur. Fais-le, Darkhan, pour moi, pour ma mère, et pour tous les elfes de lune!

Sous l'œil attentif de ses amis, baigné par les doux rayons du soleil hivernal, le guerrier ouvrit lentement ses doigts crispés. Le cœur battant la chamade, Darkhan exposa le pendentif à la lumière.

L'amulette se mit aussitôt à briller de façon anormale, comme si elle se remplissait de lumière. Non, plutôt comme si elle *absorbait* les rayons du soleil!

Autour d'eux, l'obscurité tomba d'un coup. Tout devint silencieux. Plus un oiseau ne chantait, plus une grenouille ne coassait. Même les borborygmes du marécage s'étaient tus. L'île était plongée dans les ténèbres et seul le médaillon resplendissait, presque incandescent, d'une lumière absolue. Soudain, la perle se rétracta en émettant une sorte de cri strident.

Un cri de terreur, de douleur, de rage et de désespoir…

Un cri de folie. La folie du Néphilim qui retournait au néant absolu.

De perle, l'amulette devint bille, et, dans un silence assourdissant, la stase implosa. Aussitôt, le soleil refit son apparition et la vie reprit son cours normal.

Luna regarda Darkhan en souriant. Ils avaient réussi!

Du talisman représentant Eilistraée, il ne restait que quelques débris nacrés sur le sol, que Luna s'empressa d'écraser sous sa botte.

Mais la déesse, dans sa grande clémence, lui pardonnerait certainement…

LISTE DES PERSONNAGES

Ambrethil : Elfe de Lune; mère de Luna et fille cadette d'Hérildur.

Bork : Loup; vieux loup du clan de Shara.

Darkhan : Mi-elfe de lune, mi-drow; fils de Sarkor et petit-fils d'Hérildur.

Edryss : Drow; patronne de l'auberge du Soleil Noir.
Eilistraée : Divinité mineure du panthéon drow; solitaire et bienveillante, elle est la déesse de la beauté, de la musique, du chant. Associée à la Lune, elle symbolise l'harmonie entre les races et n'est adorée que des bons drows.
Elbion : Loup; fils de Shara et de Zek.
Elkantar And'Thriel : Drow; noble sorcier, amant d'Ambrethil.
Elstyr : Elfe de lune; esclave et gladiateur, champion de Matrone Zesstra.

Graghn : Urbam; esclave d'Oloraé.
Grim : Nain; bottier de Rhasgarrok.
Gronk : Urbam; esclave d'Oloraé.

Hérildur : Elfe de lune; roi de Laltharils et père d'Ambrethil.
Histrill : Humaine; esclave et gladiateur, championne de la maison Vol'Merzz.

Kayla : Loup; jeune louve du clan de Shara.
Kel'Istror : Famille de sorciers réputés de Rhasgarrok.

Lloth : Divinité majeure; déesse Araignée.
Luna (Sylnodel) : Mi-elfe de lune, mi-drow; fille d'Ambrethil et d'Elkantar And'Thriel.

Maison Vol'Merzz : Famille noble et puissante de Rhasgarrok.
Marécageux (Le) : Elfe sylvestre; vieux mentor de Luna, frère de Viurna.
Moïra : Loup; jeune louve du clan de Shara.
Mozorbock : Barbare; esclave et gladiateur, surnommé l'Écrabouilleur.

N'hargol : Drow; esclave et gladiateur, ancien champion d'Oloraé.
Neil : Loup; vieux loup du clan de Shara.

Oloraé : Drow; sorcière et patronne d'une arène organisant des combats d'esclaves gladiateurs.

Sarkor : Drow; père de Darkhan.
Shara : Loup; louve dominante et compagne de Zek.
Sylnodel : Signifie Luna; « Perle de Lune » en elfique, voir Luna.

Viurna : Elfe sylvestre; sœur du Marécageux et nourrice d'Ambrethil.

Worgh : Urbam; esclave d'Oloraé.

Yema : Drow; esclave d'Oloraé.

Zek : Loup; mâle albinos dominant du clan de Shara.
Zesstra (Matrone) : Drow; grande prêtresse de Lloth.

GLOSSAIRE

Adamantite : Alliage minéral réputé pour sa solidité, servant à confectionner des armures de bonne qualité.

Barbares : Ces humains à l'impressionnante musculature sont des guerriers impitoyables qui vivent en solitaires dans les contrées isolées des terres du Nord.

Commun (Le) : Langage courant parlé par tous les elfes, contrairement à l'elfique, réservé à l'élite.

Drows : Voir elfes noirs

Elfes : Les elfes sont légèrement plus petits et plus minces que les humains. On les reconnaît facilement grâce à leurs oreilles pointues et à leur remarquable beauté. Doués d'une grande intelligence, ils possèdent tous des aptitudes naturelles pour la magie, ce qui ne les empêche pas de manier l'arc et l'épée avec une dextérité incroyable. Comme tous les êtres nyctalopes, ils sont également capables de voir dans le noir. Leur endurance, leurs

capacités physiques sont indéniablement supérieures à celles des autres races. À cause des sanglantes guerres fratricides qui les opposèrent autrefois, les elfes vivent désormais en communautés assez fermées. On distingue les elfes de la surface des elfes noirs, exilés dans leur cité souterraine.
Elfes de lune (ou elfes argentés) : Ils ont la peau très claire, presque bleutée, leurs cheveux sont en général blanc argenté, blond très clair ou même bleus. Dans les terres du Nord, les elfes de lune vivent à Laltharils, magnifique cité bâtie au cœur de la forêt de Ravenstein.
Elfes de soleil (ou elfes dorés) : Ils ont une peau couleur bronze et des cheveux généralement blonds comme l'or ou plutôt cuivrés. On dit que ce sont les plus beaux et les plus fiers de tous les elfes. De ce fait, ils se mélangent très peu avec les autres races. Dès le début de la guerre contre les drows, les elfes de soleil se sont réfugiés dans l'antique forteresse d'Aman'Thyr, où ils passent désormais le plus clair de leur temps à méditer et à étudier la magie.
Elfes noirs (ou elfes drows) : Ils ont la peau noire comme de l'obsidienne et les cheveux blanc argenté ou noirs. Leurs yeux parfois rouges en font des êtres particulièrement

inquiétants. Souvent malfaisants, cruels et sadiques, ils sont assoiffés de pouvoir et sont sans cesse occupés à se méfier de leurs semblables et à ourdir des complots. En fait, les elfes noirs se considèrent comme les héritiers légitimes des terres du Nord et ne supportent pas leur injuste exil dans les profondeurs de Rhasgarrok. Ils haïssent les autres races, et ceux qu'ils ne combattent pas ne sont tolérés que par nécessité, pour le commerce et la signature d'alliances militaires temporaires. Les drows vénèrent Lloth, la maléfique déesse Araignée, et leur grande prêtresse, Matrone Zesstra, dirige d'une main de fer cette société matriarcale.
Elfes sylvestres : Avec leur peau cuivrée et leurs yeux verts, ce sont les seuls elfes à vivre en totale harmonie avec la nature. Premières victimes des invasions drows, il n'en reste que très peu. La plupart vivent désormais à Laltharils, mais certains ont préféré l'exil et vivent en ermites, comme le Marécageux.

Gnomes : De petite taille, les gnomes sont généralement des êtres au physique assez ingrat. Le plus souvent bienveillants et discrets, ils vivent en communautés, au cœur des forêts profondes ou dans des villages souterrains. Mais certains, à l'âme malfaisante,

rôdent dans la cité drow en quête de menus larcins à accomplir ou d'affaires malhonnêtes à conclure.
Gobelins : Humanoïdes petits et chétifs, ils ont des membres grêles, une poitrine large, un cou épais et des oreilles en pointe. Êtres chaotiques par excellence, leurs relations sont basées sur la loi du plus fort. L'unique communauté des terres du Nord s'est installée à Dernière Chance et, bien que les gobelins évitent en général les humains et les elfes, ils acceptent néanmoins de les héberger pour mieux les arnaquer. On les dit volontiers à la solde des drows.

Halfelins : Ces êtres ressemblent fort aux humains, mais sont généralement plus petits et moins musclés. Aventuriers, roublards, voleurs, ce sont de grands voyageurs. D'une nature très sociable, certains choisissent de s'établir dans les cités humaines, où ils s'intègrent parfaitement.
Humains : Bien que ce soit la race la plus répandue dans le reste du monde, les humains des terres du Nord sont très peu nombreux. Ils vivent essentiellement de pêche et d'agriculture dans les villes portuaires de Belle-Côte et d'Anse-Grave. Après les guerres elfiques, les sorciers

humains ont érigé trois édifices appelés tours de Vigie, afin de détecter et de foudroyer sur-le-champ tous les drows qui tenteraient d'envahir leur territoire.

Maison : Nom donné aux grandes familles drows de Rhasgarrok. Comme il s'agit d'une société matriarcale, c'est toujours la femme la plus ancienne ou la plus puissante qui se trouve à la tête de cette maison.
Mages : Ce sont de très puissants magiciens elfes dorés qui vivent à Aman'Thyr. D'une grande sagesse et d'une érudition remarquable, ils sont au nombre de vingt et entourent le roi en lui prodiguant leurs conseils avisés. En réunissant leurs forces magiques, ils sont capables d'accomplir d'incroyables exploits.
Mithril : Minerai extrêmement rare; réputé pour sa légèreté et son extrême résistance, il est utilisé pour la confection de cottes de mailles de très haute qualité.

Nains : Petits et trapus, les nains vivent en communautés très soudées au cœur de citadelles fortifiées creusées dans les montagnes Rousses. En principe, ils évitent de côtoyer les autres races des terres du Nord, avec lesquelles ils n'ont que peu d'affinités,

surtout les elfes. Généralement bienveillants, ce sont des mineurs et des artisans sans pareils. Il existe toutefois des nains à l'âme rongée par la haine qui partent s'installer à Rhasgarrok, où ils subsistent en tenant de petits commerces.
Néphilims : Créatures élémentaires sans corps, dont l'essence maléfique s'abrite dans une stase.

Orques : Avec leur peau grisâtre, leur visage porcin et leurs canines proéminentes semblables à des défenses de sanglier, ils sont particulièrement repoussants. Brutaux, agressifs, ils vivent généralement de pillages et de maraudages. Leurs ennemis héréditaires sont les elfes, mais ils ne rechignent pas à négocier avec les drows.

Stase : Objet ensorcelé qui contient l'âme démoniaque d'un Néphilim.

Urbams : Ces créatures monstrueuses sont le fruit d'expériences ratées de sorciers drows. Croisement contre nature entre gobelins et elfes noirs, ces êtres difformes ont la peau noire recouverte de verrues et de pustules suintantes. Entièrement dévoués à leur maître ou maîtresse, ils servent en général d'esclaves, de gladiateurs ou de chair à canon. Ils sont tous d'une sauvagerie sans pareille et on les dit volontiers cannibales.

TABLE DES MATIÈRES

LA CITÉ MAUDITE
TOME 1

LA VENGEANCE DES ELFES NOIRS
TOME 2

LE COMBAT DES DIEUX
TOME 3

Ce livre a été imprimé sur du papier contenant 100 %
de fibres recyclées postconsommation, certifié Écolo-Logo
et Procédé sans chlore et fabriqué à partir d'énergie biogaz.